Match with the correct shadow

Match with the correct shadow

Match with the correct shadow

Match with the correct shadow

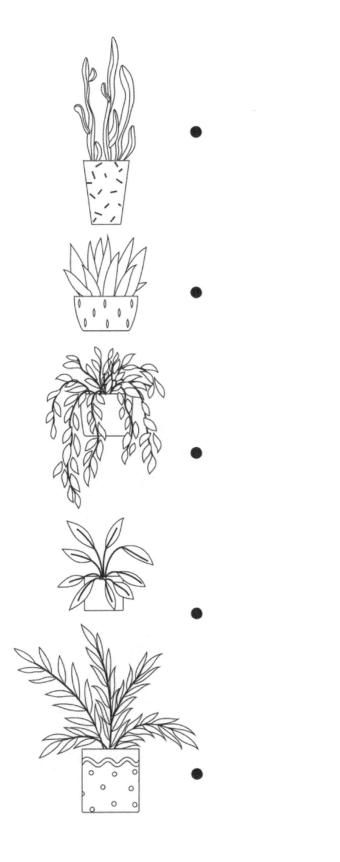

Find the correct shadow

A

B

C

D

SOLUTION

Match with the correct shadow

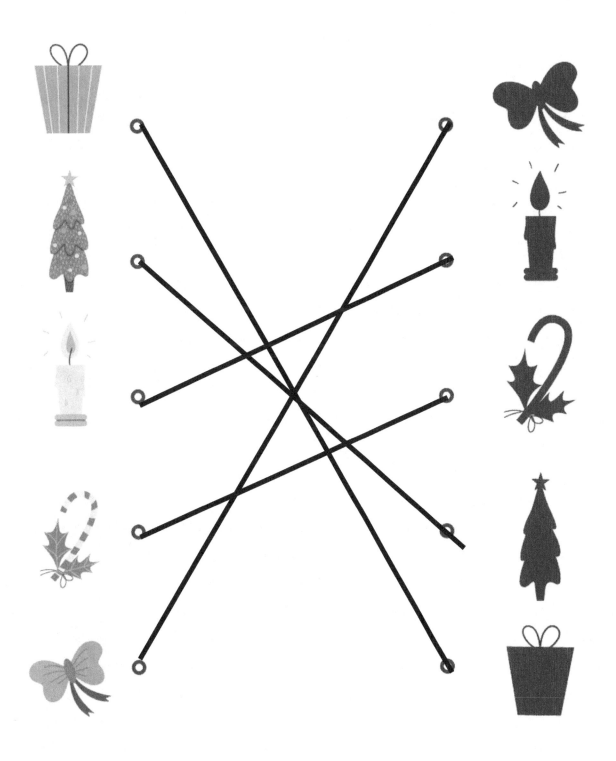

SOLUTION

Match with the correct shadow

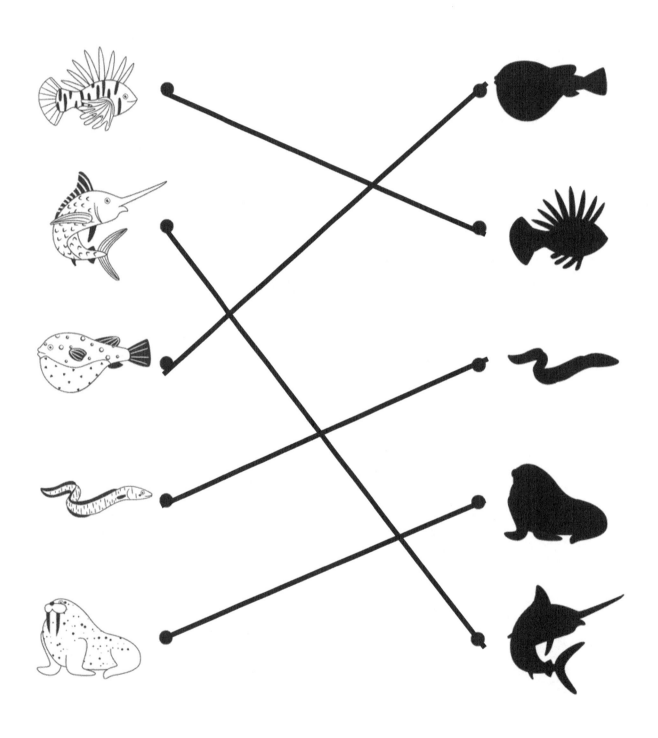

SOLUTION

Match with the correct shadow

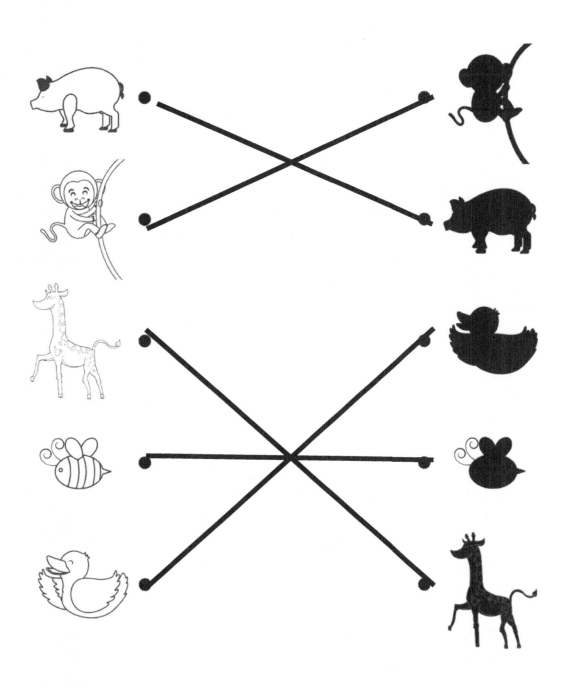

SOLUTION

Match with the correct shadow

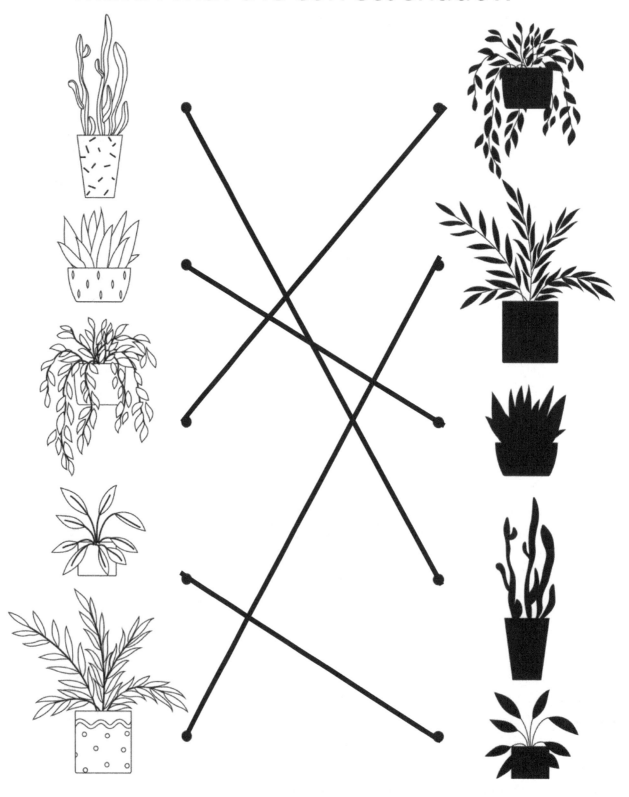

Find the correct shadow

A

B

C

D

Draw a circle around the odd one out and colour the rest

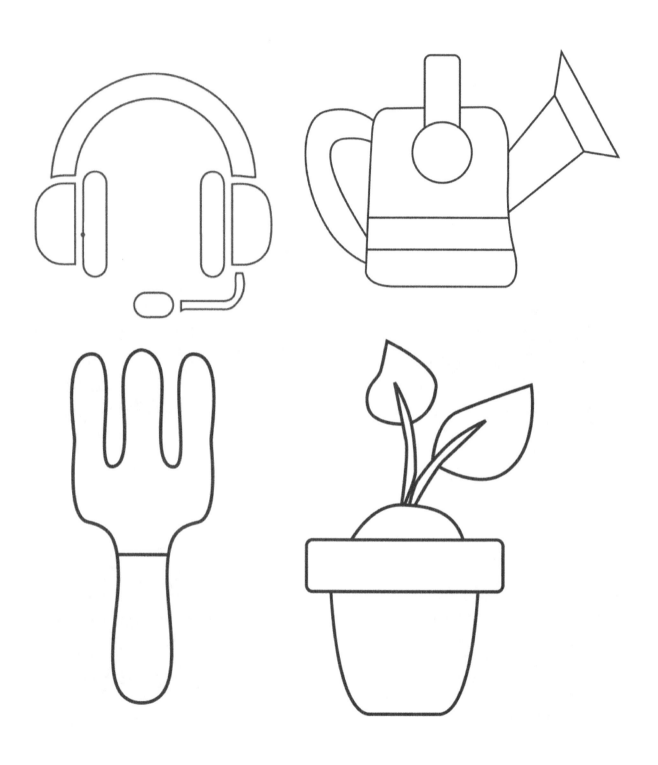

Draw a circle around the odd one out
and colour the rest

Draw a circle around the odd one out
and colour the rest

Draw a circle around the odd one out and colour the rest

SOLUTION

Draw a circle around the odd one out
and colour the rest

SOLUTION

Draw a circle around the odd one out
and colour the rest

SOLUTION

Draw a circle around the odd one out
and colour the rest

SOLUTION

Draw a circle around the odd one out
and colour the rest

Match The Sweets

Write the name of the correct sweets
and enjoy coloring them in!

CUPCAKE   ICE-CREAM DONUT
BIRTHDAY CAKE JELLY SWEETS

Match The Plants

**Write the name of the correct plants
and enjoy coloring them in!**

**ROSE   SUNFLOWER CACTUS
TREES   GARDEN LEAF**

Match The Fruits

**Write the name of the correct fruit
and enjoy coloring them in!**

ORANGE   CHERRY   PINEAPPLE

BANANA   PEACH   APPLE

Match The Animals

**Write the name of the correct animal
and enjoy coloring them in!**

**HORSE   DOLPHINE   DOG
CAT   WHALE   RABBIT**

_____

_____

_____

_____

_____

_____

Match The Sweets-
SOLUTION

CUPCAKE   ICE-CREAM   DONUT
BIRTHDAY CAKE   JELLY   SWEETS

SWEETS

ICE-CREAM

CUPCAKE

JELLY

BIRTHDAY-CAKE

DONUT

Match The Plants
SOLUTION

ROSE   SUNFLOWER CACTUS
TREES   GARDEN LEAF

CACTUS

SUNFLOWER

TREES

ROSE

GARDEN

LEAF

Match The Fruits
SOLUTION

ORANGE   CHERRY   PINEAPPLE

BANANA   PEACH   APPLE

PINEAPPLE

APPLE

PEACH

BANANA

CHERRY

ORANGE

Match The Animals
SOLUTION

HORSE   DOLPHINE   DOG
CAT   WHALE   RABBIT

DOLPHINE

HORSE

CAT

DOG

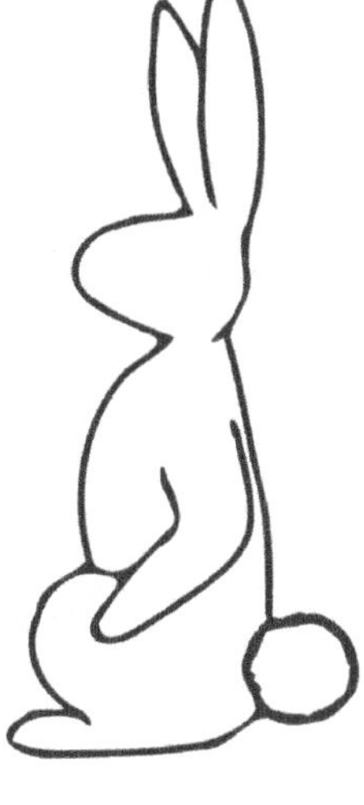

RABBIT

WHALE

Connect the Dots with Numbers 1 to 31 and Color the pitcure

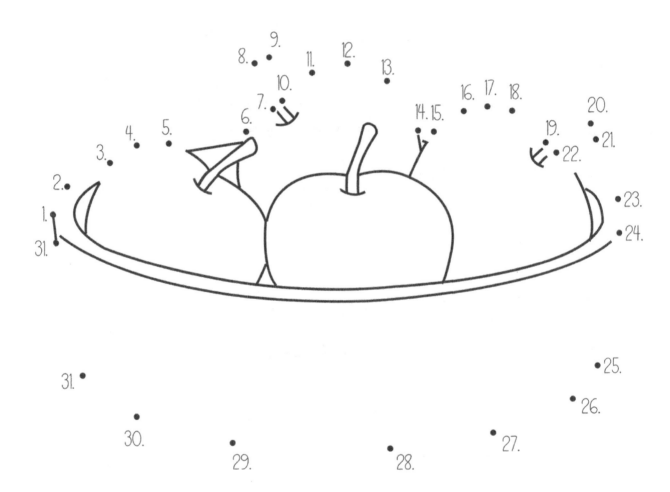

Connect the Dots with Numbers 1 to 20 and Color the pitcure

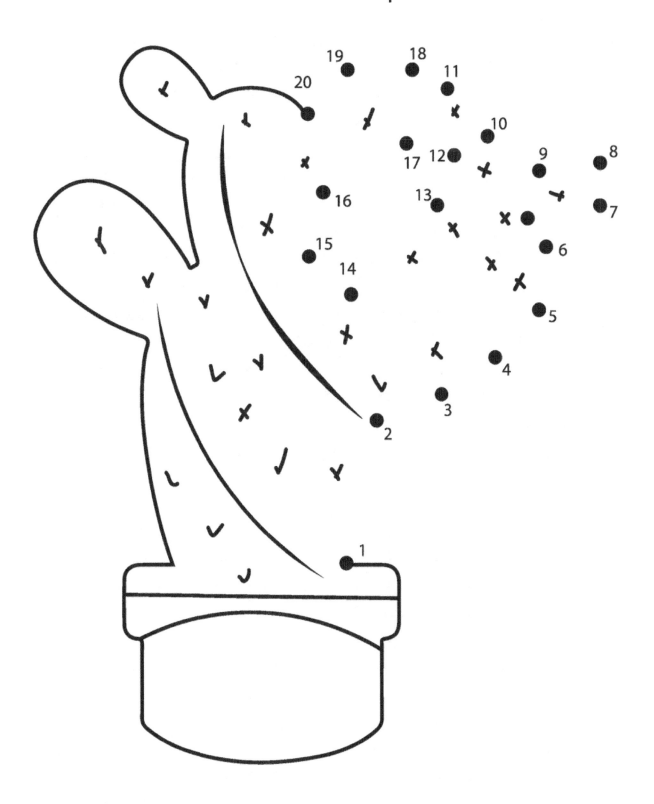

Connect the Dots with Numbers 1 to 30 and Color the pitcure

Connect the Dots with Numbers 1 to 8 and Color the pitcure

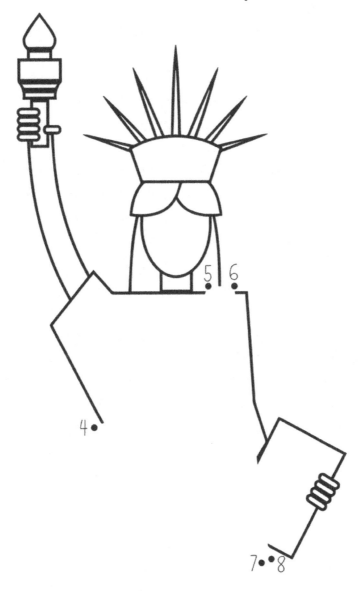

INTO THE WORLD..

Connect the Dots with Numbers 1 to 20 and Color the pitcure

Europe

Connect the Dots with Numbers 1 to 20
and Color the pitcure

USA

Connect the Dots with Numbers 1 to 20
and Color the pitcure

CANADA

Connect the Dots with Numbers 1 to 20 and Color the pitcure

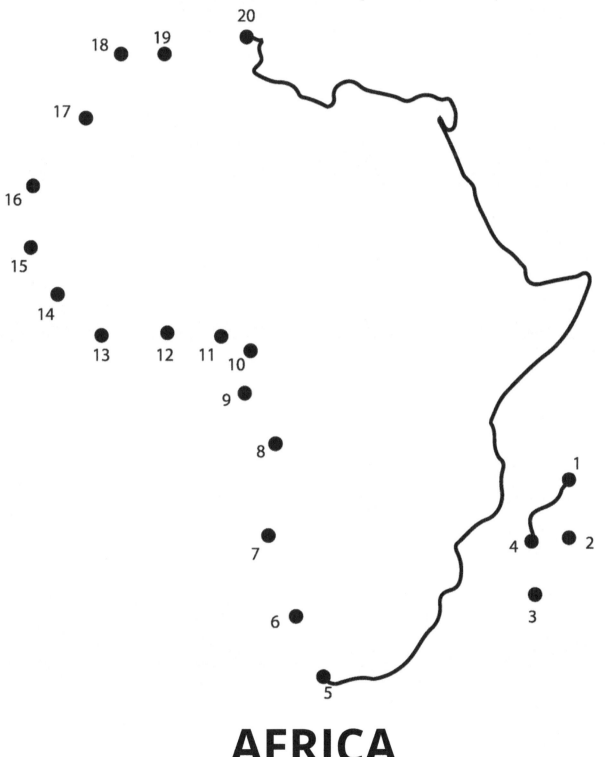

AFRICA

CROSSWORD 1

ACROSS

4 Show someone how to do something
5 Carnival
6 Animals you keep at home
7 Take care of someone

DOWN

1 Animal you can ride
2 They twinkle in the sky
3 Computer that fits on your knee
6 Color mostly for girls

CROSSWORD2

ACROSS

4 When I'm sick, I visit the ___
5 When I'm tired, I go to ___
8 Rockets travel through ___
9 I sit in front of the ___ to keep warm
10 Large, grey animal that trumpets

DOWN

1 When it's cold outside, I wear my __ to keep me warm
2 Sounds dog make
3 I sit at the dining ___ to eat my dinner
6 Jokes make you __
7 The color or grass

CROSSWORD 3

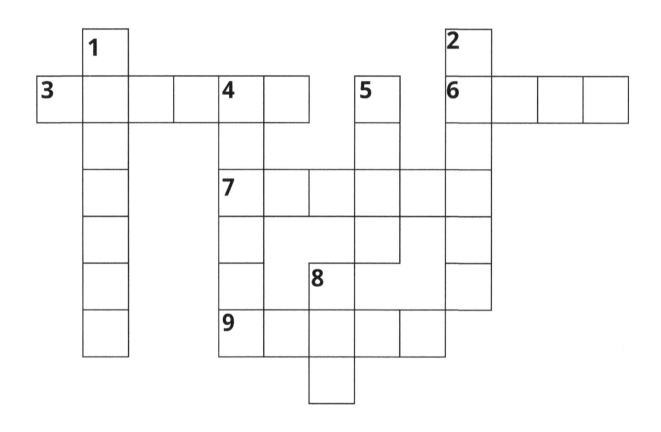

ACROSS

3 I see the white ___ floating in the sky
6 Cars drive on the ___
7 Secret ___ are spies
9 Tiny

DOWN

1 Plants with petals and leaves
2 Where criminals are kept
4 Cloth items hung in windows
5 Make music with your voice
8 Woolen item worn on the head

CROSSWORD 4

ACROSS

1 You can sit in front of this to keep warm
6 Cloth item that dries you after a bath
7 Circus funny person
9 Place to paddle and play in the sand
10 Sport played with a stick and a puck

DOWN

2 Small creatures with 6 legs and 3 body parts
3 Long, orange vegetable
4 Stringed instrument that makes beautiful music
5 Outside meal
8 White things in your mouth that help you chew

CROSSWORD 5

ACROSS

3 You wear these on your feet
5 Sweet foods that the police like to eat?
6 Beautiful, black bird, like a crow
8 A shape with 3 sided
9 Vehicle with 2 wheels for children and adults

DOWN

1 Body of land surrounded by water
2 Underwater creature with 8 legs
4 You go here when you've had an accident
6 A prize you get for doing something good
7 The color of the sky?

CROSSWORD 6

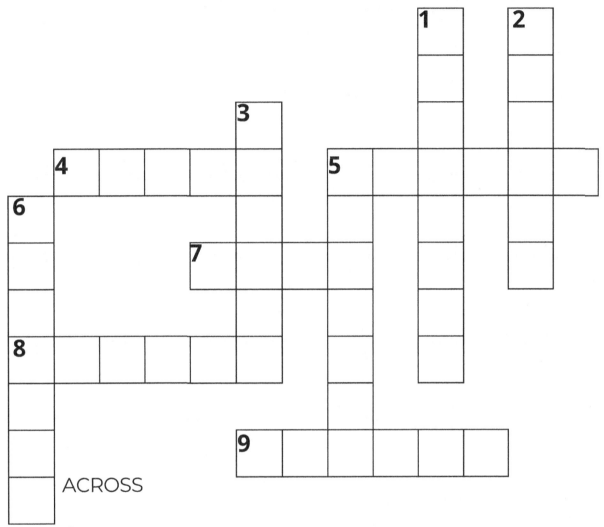

ACROSS

4 This huge mammal swims in the
sea
5 You eat your food off these round objects
7 Musical instrument you band with sticks
8 Sport where you hit a ball over a net to your opponent
9 Small, cheeky primate with a tail!

DOWN

1 X marks the spot to find this valuable thing
2 Solid, yellow dairy product
3 These pump blood around our bodies
5 You carve a face into this large vegetable
6 He delivers your mail every day

CROSSWORD 7

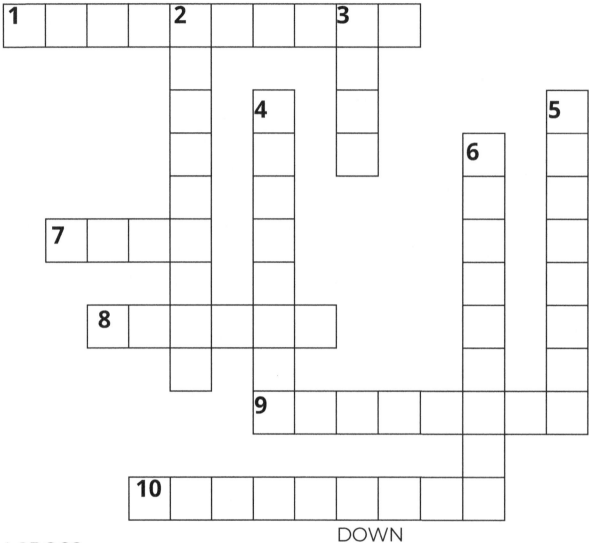

ACROSS

1 You wear these to protect your eyes from the light
7 Large planet-like object that orbits the earth
8 Last day of the week?
9 Large animal with a long trunk
10 Large vehicle that travels underwater

DOWN

2 Electricity that flashes across the sky
3 Hens lay these
4 You pack your clothes in this when you go away
5 You wear this to keep you safe in a car
6 Small oven that cooks food really fast

CROSSWORD 8

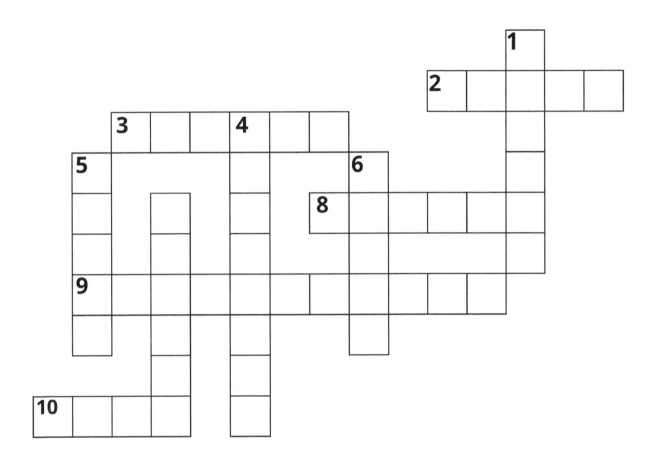

ACROSS

ACROSS

2 Drink made from fruit
3 You sit on these
8 Light rainfall
9 Small creature that turns into a butterfly
10 The opposite of up

DOWN

1 Large, striped cats
4 Frozen dessert (3,5)
5 Midday meal
6 The teacher draws on the blackboard with this
7 English fall?

CROSSWORD 9

ACROSS

1 Gift
5 A game where you make words with small tiles
8 Making a woollen garment with needles and yarn
9 Tree of syrup?
10 Female monarch

DOWN

2 Green, underwater plant
3 Staying in a tent for your vacation
4 Half woman, half fish
6 Brown candy
7 Baby goose

CROSSWORD 10

ACROSS

5 You cut things with these cutlery items
7 Scent for women?
8 Parents' offspring
9 Hard hat to protect your head
10 Long trip

DOWN

1 Discuss
2 Gather crops
3 Very, very cold
4 You look through these to see far-away things
6 Look for something on Google!

SOLUTIONS
CROSSWORD 1

		H		S		L		
		O		T	E	A	C	H
F	A	I	R	A		P		
		S		R		T		
	P	E	T	S		O		
	I					P		
	N	U	R	S	E			
	K							

CROSSWORD 2

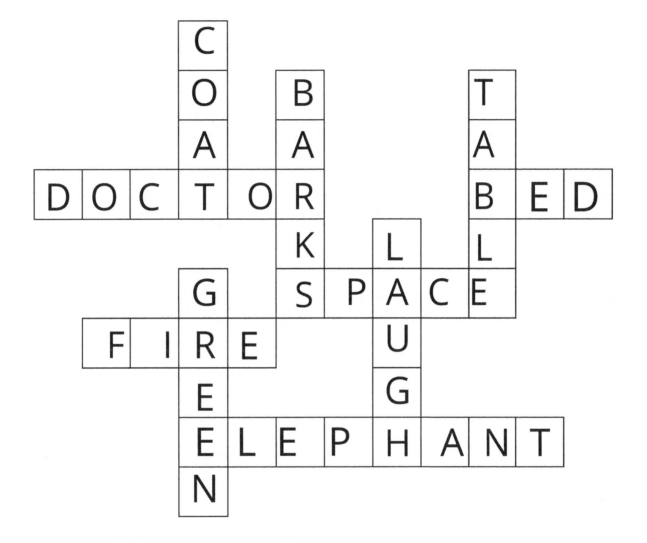

CROSSWORD 3

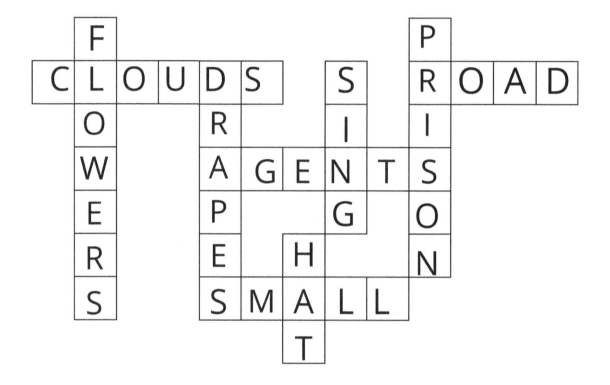

CROSSWORD 4

CROSSWORD 5

OCTOPUS
SHOES
HOSPITAL
DONUTS
RAVEN
REWARD
ISLAND
BLUE
TRIANGLE
BICYCLE

CROSSWORD 6

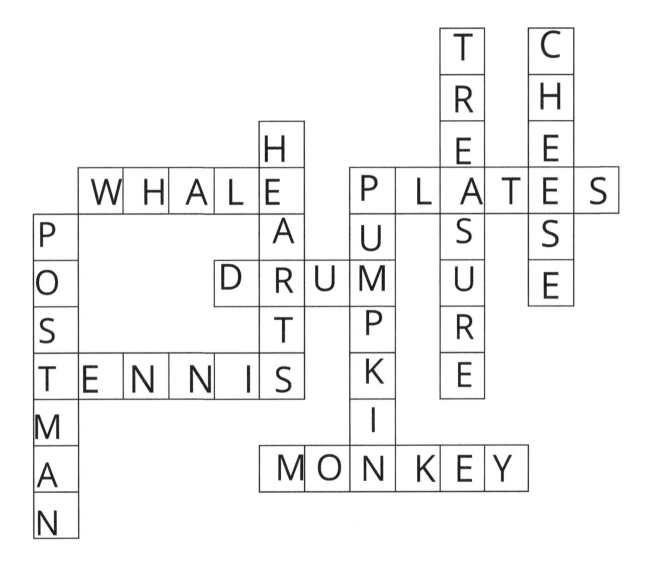

CROSSWORD 7

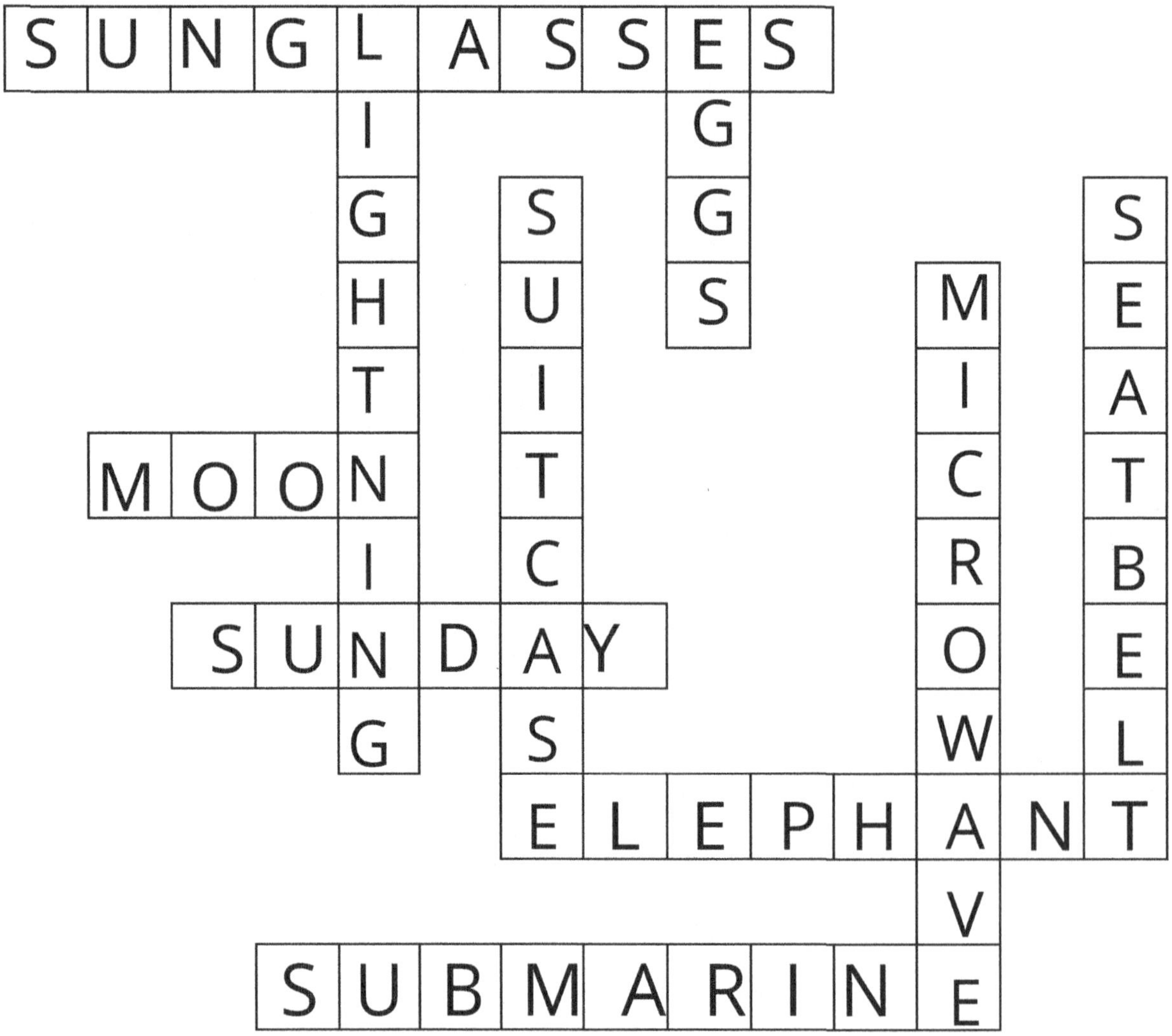
SUNGLASSES
LIGHTNING
EGGS
SUITCASES
MICROWAVE
SEATBELT
MOON
SUNDAY
ELEPHANT
SUBMARINE

CROSSWORD 8

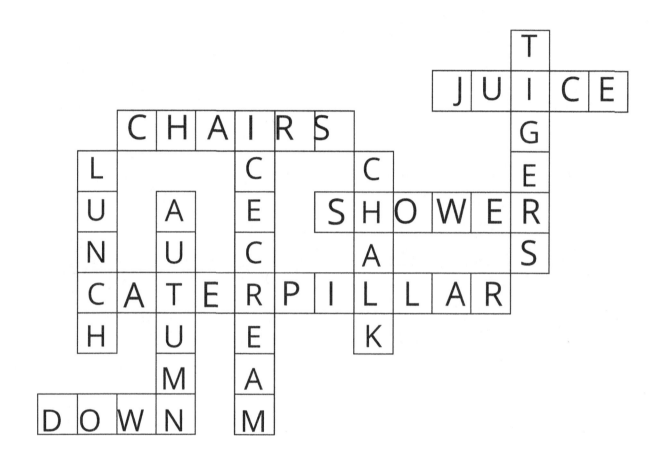

CROSSWORD 9

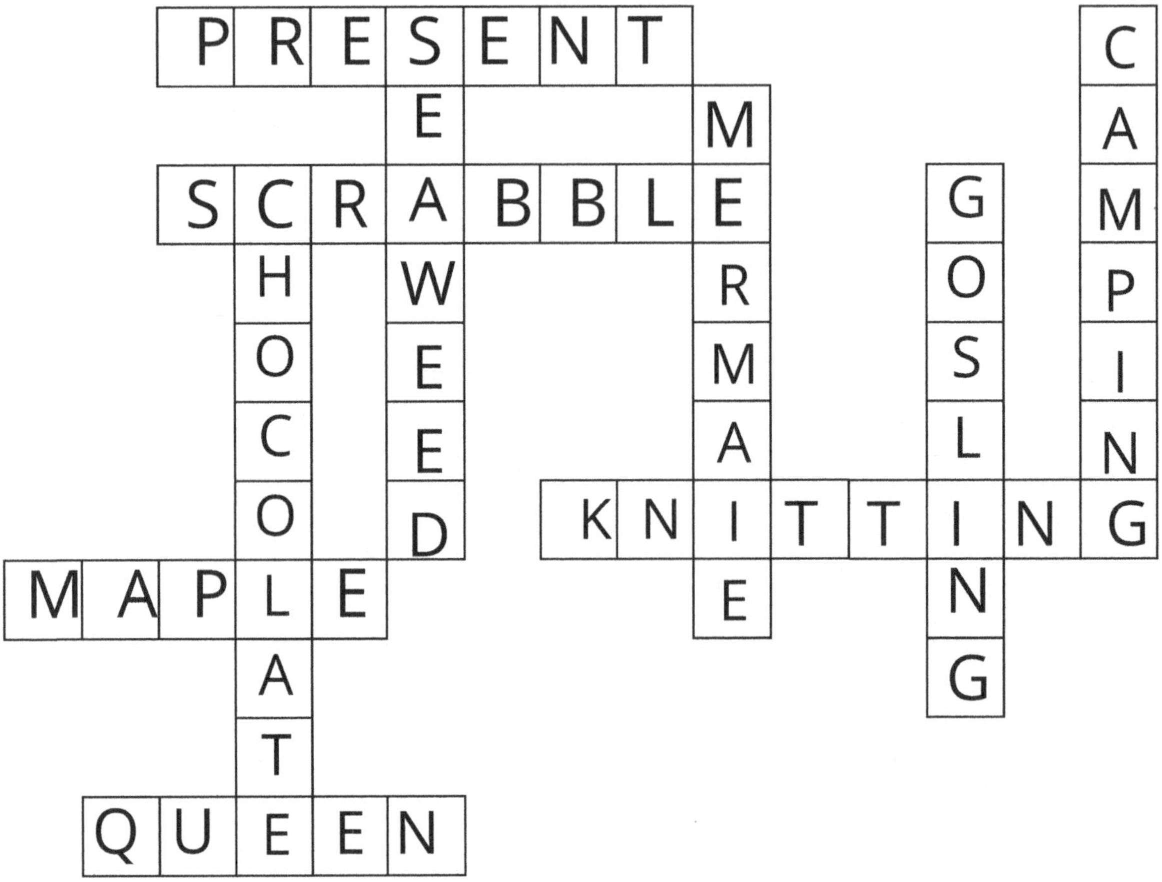

PRESENT

SCRABBLE

MERMAID

GOSLING

CAMPING

CHOCOLATE

SEAWEED

MAPLE

KNITTING

QUEEN

CROSSWORD 10

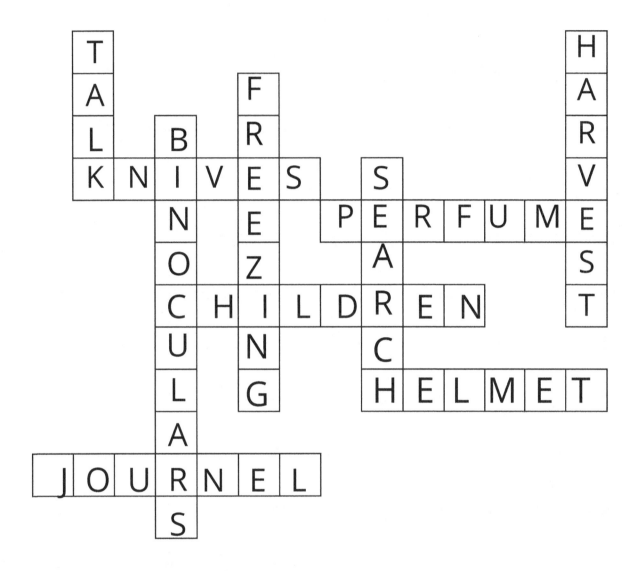

WORD SEARCH TIME!

ADVENTURES Puzzle 1
Can You Solve The Puzzles Below?

F H G O F X B J P G X O D T F W
Q F P O B Q X P S U H I K L G B
H L A X B E G I N N I N G S P O
I E H J P E R C T M G H W P X Q
A M R C M K Q R E A J Q B T U Z
T T X V D U C W Z L O I Y S P U
I W A U K S T P X E F A A J I W
N E P Q S E O P U S D E T G G M
E L K I Q B E H S R S F M G S I
L K J I R V I N M U I C P C A L
D Z C A O K D A G Q N T F N L U
I R T S U I T C A S E S Y G N Z
E I V C H A N C E M Z F K M K X
C S Y N O H A X Q B N G W T X X
I L C X T K V T P A F W O E Q W
W X Y J O P T I M I S T I C I H

BEGINNINGS	CHANCE
KEEN	MALES
OPTIMISTIC	PURITY
SEAS	SUITCASES

WORD SEARCH 2

```
Y  J  S  C  P  A  Y  F  S  W  I  V  Y  S  M  Y
A  A  P  T  Y  F  V  G  D  S  X  W  B  S  F  C
D  F  L  F  J  L  P  N  I  U  M  Y  I  T  C  N
V  K  F  W  C  C  H  A  N  G  E  M  A  T  O  J
E  X  M  E  B  D  K  N  Q  P  I  K  M  N  L  I
N  L  A  F  C  Z  F  E  B  S  Z  I  O  I  L  X
T  E  B  N  C  U  R  Q  S  K  O  I  I  I  E  A
U  S  L  G  U  U  L  E  W  Q  S  Z  P  Y  C  E
R  N  T  A  T  U  P  O  K  R  R  G  R  K  T  V
O  W  O  I  Y  B  Y  G  U  D  N  V  F  Z  I  J
U  D  X  Z  M  A  N  C  Y  I  G  G  S  B  V  N
S  S  E  K  L  I  X  L  B  A  Y  E  Z  W  E  F
Q  H  T  B  D  E  N  M  I  O  C  X  I  Q  B  S
E  F  X  U  T  S  I  G  H  I  W  S  L  J  N  K
J  E  T  D  U  L  O  X  V  H  T  I  T  B  Z  W
O  G  Y  I  C  J  L  C  E  X  H  L  L  F  P  N
```

ADVENTUROUS	CHANGE
CLIMBING	COLLECTIVE
EXCURSION	PESSIMISM
TIMING	

WORD SEARCH 3

```
U  S  R  G  Z  W  H  B  J  X  F  U  H  J  U  X
J  R  D  Q  Y  A  N  T  I  C  I  P  A  T  E  H
H  S  D  E  S  T  I  N  A  T  I  O  N  T  P  H
Y  T  N  S  W  D  E  A  F  H  E  S  O  B  H  I
W  X  X  H  S  P  I  V  D  S  T  W  Z  G  R  J
P  U  U  V  Q  V  P  M  R  N  Y  W  A  S  U  V
Q  B  O  M  U  F  L  E  E  P  A  Y  D  H  K  C
I  U  I  G  G  T  V  M  L  K  R  N  B  K  T  U
E  O  W  M  E  A  E  T  Q  Y  E  L  U  N  F  V
N  N  B  I  R  G  E  V  E  I  Y  E  I  O  V  Z
R  J  U  T  A  R  I  C  R  W  S  R  A  K  S  Q
C  Q  Z  N  T  M  M  F  Q  Y  P  I  I  U  G  H
W  F  A  H  S  F  E  N  L  S  Z  U  D  B  Q  V
L  M  E  E  J  V  B  H  W  X  P  B  F  O  M
U  Q  G  O  X  S  Q  S  P  S  I  T  V  D  W  K
M  A  B  V  F  D  H  Z  Y  U  C  T  W  T  D  B
```

ANTICIPATE	DESTINATION
FRIENDS	MANAGEMENT
MEN	QUIET
SPRINT	TRAVERSE

WORD SEARCH 4

```
M  J  N  V  W  Y  M  B  J  C  Y  A  J  D  L  W
R  K  U  M  I  Y  J  G  S  A  S  F  D  A  Q  H
N  A  J  R  G  X  Z  B  G  E  C  F  M  P  U  B
A  U  D  N  Z  K  Z  C  C  C  G  E  V  P  E  Z
G  X  Q  U  R  R  S  I  V  V  E  C  R  R  S  B
D  O  P  Q  A  C  R  A  R  R  O  T  P  O  T  P
K  W  L  F  G  P  Z  Y  F  G  W  O  R  A  I  I
N  V  G  Y  A  E  V  F  E  E  R  M  W  C  O  K
W  K  O  Q  S  C  C  S  Q  N  T  P  I  H  N  O
T  Y  M  A  N  P  T  E  G  C  K  Y  T  T  S  W
Q  P  E  V  B  Y  J  O  S  G  I  V  W  H  D  S
N  S  W  F  G  C  U  T  R  L  X  R  G  A  A  I
K  W  J  O  W  W  R  O  R  S  N  F  V  B  R  R
Y  G  H  U  A  O  B  V  K  O  V  F  A  O  I  L
N  U  T  N  P  K  Q  W  W  Y  N  V  Z  T  N  E
M  R  H  S  M  C  X  I  M  Z  V  W  B  B  G  T
```

AFFECT	APPROACH
EASE	FACTORS
PRICES	QUESTIONSDARING
SAFETY	SPORTS

WORD SEARCH 5

```
G  W  R  C  H  Y  K  G  X  L  I  S  M  B  F  S
Q  V  Y  K  I  T  N  Y  B  Y  A  Z  Q  H  P  C
T  S  S  O  P  Y  D  K  H  M  J  P  S  G  T  X
X  G  E  A  B  M  W  J  P  Z  M  Y  N  S  A  S
D  I  F  I  T  S  O  N  T  R  T  G  I  K  I  T
A  M  F  Q  F  V  M  O  K  I  C  L  Q  R  Q  V
V  P  E  B  B  B  E  W  O  W  T  T  I  M  A  A
Y  R  C  X  Z  K  N  L  O  E  L  F  N  W  V  R
D  E  T  X  Z  K  P  M  K  O  L  U  Z  Y  S  I
D  S  I  T  M  X  U  C  R  H  A  C  M  N  F  E
E  E  F  T  E  A  U  L  Q  X  F  V  A  F  T  T
X  N  V  Z  Z  B  V  T  I  E  P  E  G  K  Y  Y
Q  T  U  R  M  G  F  O  G  L  W  A  A  O  X  K
W  L  Y  Y  M  I  B  U  I  O  T  V  A  R  C  H
T  Y  V  R  O  Q  P  V  X  D  O  Y  I  Q  F  X
U  D  U  T  M  L  T  O  Z  I  O  I  L  N  L  P
```

AVOID	BUCKETLIST
EFFECT	EXPLOIT
FEAR	PRESENTLY
VARIETY	WOMEN

WORD SEARCH 6

```
B  C  O  N  F  I  D  E  N  C  E  V  M  R  V  Y
O  G  D  Y  D  Z  A  N  L  B  Q  F  K  R  K  J
A  X  V  A  J  Z  Z  T  K  C  J  O  Z  F  L  K
Z  A  H  Y  H  R  L  Y  T  C  O  K  E  L  B  E
B  B  N  T  U  O  W  A  D  I  Y  Y  T  K  C  N
F  V  V  Y  Y  R  C  W  J  D  T  L  R  C  G  V
D  O  W  Q  K  V  W  K  V  O  K  U  A  S  M  I
H  S  I  N  G  U  L  A  R  T  M  R  D  R  T  R
Z  Z  H  Q  M  D  C  M  P  M  T  X  E  E  L  O
X  R  I  F  J  L  U  G  G  A  G  E  D  M  D  N
P  P  K  N  S  F  M  A  O  R  Z  I  E  G  G  M
L  K  W  B  O  Z  P  T  V  Q  C  O  S  T  S  E
Q  H  T  D  Q  W  Y  D  F  Q  A  A  E  T  T  N
D  K  S  I  G  F  A  K  G  Q  X  A  C  M  R  T
U  L  C  U  U  P  Q  X  J  O  U  R  N  A  L  Q
G  I  X  U  V  M  E  W  Z  H  D  O  G  G  G  G
```

ATTITUDE	CONFIDENCE
COSTS	ENVIRONMENT
JOURNAL	JOY
LUGGAGE	SINGULAR

WORD SEARCH 7

```
R  T  C  F  O  G  T  J  O  X  J  S  T  T  K  S
P  U  I  E  S  P  G  O  L  P  C  U  C  H  T  G
S  P  R  N  Y  P  P  E  U  W  O  P  N  A  N  D
Y  N  D  T  T  E  O  J  Z  E  Y  Z  J  X  A
K  X  E  H  D  N  A  C  R  I  Y  E  B  T  O  M
E  A  S  U  C  R  T  B  U  T  Q  X  O  X  U  G
D  H  C  S  R  U  U  U  G  L  U  O  R  P  I  S
F  V  R  I  I  V  P  S  B  B  A  N  H  A  I  K
F  X  I  A  E  G  M  B  L  D  V  T  I  J  Y  K
N  P  P  S  E  S  U  V  I  I  B  X  I  T  B  S
J  A  T  M  A  B  Z  O  U  I  P  J  H  O  Y  E
E  O  I  H  O  P  E  S  Y  E  R  S  K  Z  N  D
R  E  O  V  G  U  I  D  A  N  C  E  J  Z  I  K
X  D  N  Y  Q  B  O  G  G  S  F  W  E  V  B  M
C  R  S  G  B  O  T  A  K  I  R  F  Z  G  Z  N
X  Y  O  G  P  O  T  E  N  T  I  A  L  K  O  B
```

DESCRIPTIONS
GUIDANCE
OPPORTUNITY
SPECULATION

ENTHUSIASM
HOPES
POTENTIAL
X-RAYS

WORD SEARCH 8

```
U  S  A  N  K  U  T  T  N  I  K  I  M  X  G  H
D  O  W  G  Y  Y  O  U  T  H  X  D  C  I  Z  M
T  T  S  Z  V  J  O  F  S  Q  R  J  X  Q  U  J
W  E  G  W  H  Q  C  N  B  X  A  C  U  A  C  I
X  N  U  F  B  X  R  T  X  N  D  N  M  B  K  Q
H  F  H  M  P  K  K  H  S  P  O  V  Y  N  V  A
H  J  W  H  U  Q  P  X  P  I  A  R  Q  E  W  J
K  P  C  L  R  R  K  P  T  D  A  D  C  G  J  X
V  E  X  Q  X  J  G  A  C  R  L  N  U  K  V  N
M  Y  M  F  X  P  C  M  E  N  A  Q  V  L  E  Z
S  T  Y  L  E  A  Q  N  M  T  T  S  V  M  T  P
W  I  J  M  V  C  I  V  S  A  D  V  I  C  E  S
F  G  K  C  Y  T  O  I  C  N  N  Z  C  B  C  B
R  K  T  F  I  T  S  J  Y  R  W  C  K  V  L  X
O  I  H  C  K  E  G  B  P  T  T  V  U  Q  G  H
V  P  C  E  R  T  D  W  Y  I  D  I  R  E  X  O
```

ADULTS	ADVICE
ITINERARY	RESISTANCE
STYLE	VACATION
YOUTH	

WORD SEARCH 9

```
A  Q  T  A  U  E  U  T  W  G  R  N  O  V  R  Q
M  X  K  W  G  J  K  F  H  M  O  M  T  N  C  G
U  V  S  W  T  R  I  P  F  Z  T  O  B  Z  X  G
F  Z  D  U  V  Y  K  U  M  I  P  N  L  P  R  Y
X  S  I  I  T  S  E  K  B  N  E  U  C  N  V  R
V  X  E  U  S  W  T  P  K  M  Z  M  L  O  Q  A
K  V  A  E  M  C  A  D  J  C  Z  E  K  A  D  M
Z  E  Y  Q  I  A  O  A  H  U  L  N  N  Y  A  J
B  V  G  Y  H  N  M  O  M  T  T  F  K  V  E
W  S  A  W  S  X  G  N  F  N  Y  A  E  Y  P  H
B  H  I  D  E  P  O  W  E  O  F  L  M  I  Q  B
Q  W  W  V  Y  D  S  C  I  R  R  T  A  D  V  S
A  N  Z  G  E  R  A  U  R  K  B  T  L  E  R  M
R  R  D  X  V  Q  N  P  Q  J  W  V  E  X  O  Q
S  E  C  D  B  M  G  E  N  A  H  L  S  D  E  U
O  Z  S  U  I  P  C  B  Q  G  T  Z  E  F  P  V
```

BEAUTY	DISCOMFORT
EDGY	FEMALES
MANNER	MONUMENTAL
SEEING	TRIP

WORD SEARCH 10

```
F M A N M C O B T B H F H C P T
J G L A A F U R S F M S O L B I
K H L H S S Y L C E T G Y P A A
X T Y T P Q K V Q N T N R O D T
G T P L Y P D F E O H E N V M V
J A P O L N E D N C H E Z Z I U
R U G I A I I Y Z T R B L F R S
Q K I L L C H S A D E A M X A Z
A T S E C W M E L H I Q G T T U
W I B A V S W I S C Q F N R I F
E Z K K E N H H A Z Q G J L O H
K N A H D C J M Q F B O M W N Z
O I V E A L C Z W V I Z V L Q Q
K B J Q C D M S A I L I N G N K
K H L X Q H G C K Y C S I M U J
K L S F J M H B G B I L V P F R
```

ACCIDENTS   ADMIRATION
BELIEF   CHILDREN
ISLAND   SAILING
WEATHER   WHYNOT

WORD SEARCH 11

```
X D U E L Q T M P H G Q W A L I
I O V E R R E A C H V U O M C P
N I B C P G B H F A F O U J E J
F Z P L A N N I N G K M V M R U
L Z W J I C Y M M C E Y I G Z B
U W J T O A O C P E F T H Q M F
E D O A I L W Z V E E G B D D Y
N Q W G B M Z Y X E J B C R E P
C Q L F I I J Z R K C V S A C V
E T J E U N Y F Z O K P H M I Y
S S A D X G U R J D U A J A S B
K L B Q H T A D V I S E E I I P
T I B B N E U Q A U U P P O P
V Y S T O L B V B H C P T T N U
Q Q G V M Y S K M O L I J U S O
V A F Q J A G V M Q V U U I C W
```

ADVISE   CALMING
DECISIONS   DRAMA
FREETIME   INFLUENCES
OVERREACH   PLANNING

WORD SEARCH 12

```
V  L  G  S  R  H  V  R  J  Q  V  Y  E  E  E  J
A  C  T  I  V  I  T  Y  G  Q  W  B  R  A  X  U
D  M  X  M  Q  Q  Q  F  B  A  L  A  N  C  E  A
N  M  D  P  G  M  U  U  D  F  H  X  D  I  B  Q
L  C  N  L  P  O  F  Q  W  U  B  D  R  X  O  Y
V  I  I  I  G  T  T  V  M  M  S  Y  Z  E  V  X
X  Q  O  C  B  X  G  W  S  A  I  B  A  S  Q  I
W  Q  X  I  J  S  Z  L  R  Z  X  P  Z  P  G  F
X  Q  F  T  Z  Z  A  E  M  F  N  V  N  H  N  I
G  Y  Q  Y  T  R  M  N  U  U  A  N  U  U  K  G
H  N  E  M  U  A  B  Y  M  K  S  C  J  X  I  Q
C  K  B  T  C  E  I  T  F  R  A  F  T  B  M  K
C  B  A  N  T  T  G  E  Z  X  F  G  O  O  L  C
C  N  I  Q  D  O  D  R  E  A  M  I  N  G  R  E
Y  V  O  F  X  X  L  C  G  J  D  I  M  O  B  S
U  T  D  H  I  A  Y  D  X  C  Z  N  G  S  Q  K
```

ACTIVITY	BALANCE
CAMERAS	DREAMING
FACTORS	NATURAL
SIMPLICITY	

WORD SEARCH 13

O	C	H	I	O	R	G	A	N	I	Z	A	T	I	O	N
D	M	S	T	A	L	Y	N	F	S	I	E	M	T	V	N
J	S	D	T	P	K	V	X	Q	H	B	K	H	X	L	X
B	R	A	V	E	R	Y	G	D	R	W	V	I	T	R	X
H	S	H	C	D	P	E	G	N	S	I	T	E	S	J	L
E	Y	K	N	E	R	B	P	U	K	X	T	I	Y	N	R
B	I	U	I	B	I	I	F	A	E	C	H	A	V	W	Y
N	Z	S	N	H	D	V	X	H	R	R	W	U	F	Y	W
B	G	B	T	I	E	P	I	X	X	A	O	D	I	F	A
K	I	J	R	I	N	L	O	E	T	Z	T	N	J	E	S
A	J	B	E	W	L	U	J	E	V	P	U	I	H	Y	R
L	V	Y	P	O	Y	S	G	C	V	L	Y	H	O	V	Z
B	Q	A	I	N	F	O	R	M	E	D	C	T	Y	N	I
M	N	G	D	L	N	A	O	Z	S	M	I	P	I	M	K
R	I	I	D	O	C	N	N	R	S	A	Y	G	Y	S	F
W	L	W	B	R	C	R	V	Q	K	K	Z	Z	G	W	X

BRAVERY   GETAWAY
INFORMED   INTREPID
ORGANIZATION   PREPARATION
PRIDE   SITES

WORD SEARCH 14

```
D  I  F  F  I  C  U  L  T  Y  D  X  M  F  P  Z
A  S  J  S  A  M  L  A  J  P  Y  X  K  K  J  J
U  X  V  J  J  A  U  B  Q  T  H  C  D  Q  M  H
O  K  G  N  U  Y  W  N  F  A  P  E  S  D  U  E
Z  S  I  S  K  I  H  T  E  D  O  Y  B  M  W  U
P  W  U  J  S  C  Y  L  X  X  M  G  W  S  E  G
U  N  A  F  T  C  W  T  X  P  P  S  T  G  Z  Z
U  S  L  N  U  P  A  Y  X  P  U  E  A  G  N  L
G  Y  D  W  L  G  I  U  B  O  X  U  C  R  H  B
V  A  C  E  L  F  T  E  R  Q  G  W  B  T  H  T
F  Y  H  M  K  T  S  E  F  N  P  G  R  V  E  A
Y  S  X  T  T  N  G  W  A  W  O  M  Z  P  U  D
T  C  Q  U  E  N  D  L  S  H  D  G  O  R  S  S
V  O  W  E  A  Q  Y  U  U  T  S  H  H  A  X  Y
R  K  R  D  K  C  A  D  D  S  G  E  O  Q  W  L
L  O  O  K  F  O  R  W  A  R  D  T  O  M  N  O
```

DANGEROUS   DIFFICULTY
HELP   LANGUAGE
LOOKFORWARDTO   UNEXPECTED
UNUSUAL   WHYWAIT

WORD SEARCH 15

```
N A R O T Q X Z Z W E U R N Z N
X S J Q O Z A K L W O R R Y H Y
X B H N S O L I T U D E E T Z T
Z F X X J V V W U D J V Q R H K
B J R X C D L B M K G K E Y A A
B Y G E L I W C T D G Z T U V Y
O X C H A O F D C C O A E F Y S
A Z O E N K P Q B V Z L S Q X V
R H M A I U E R P P F L W Y D H
X W M D B U X D Q V C L N A G L
V A U I R L O C A L E O R E E W
I I N N X F Q Y A K N P U M I M
Y T I G A B S U M E Z Q N A F Z
I K T J B B H W X O C E A N S J
U H Y X M G O M V U S W E Y O D
A D Z B Y D B I F N W G W E Q H
```

COMMUNITY	FREAKED
HEADING	LOCALE
NOW	OCEANS
SOLITUDE	WORRY

WORD SEARCH SOLUTIONS

ADVENTURES Puzzle 1 - Solution

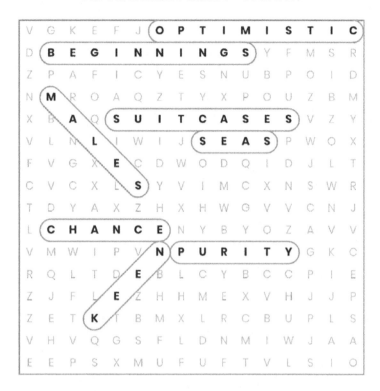

ADVENTURES Puzzle 1 - Solution

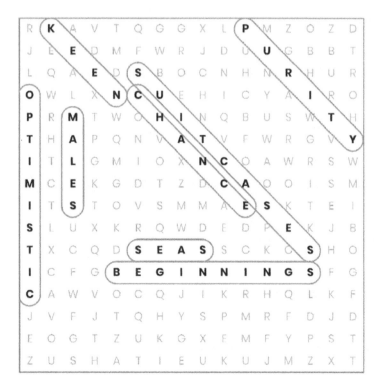

ADVENTURES Puzzle 1 - Solution

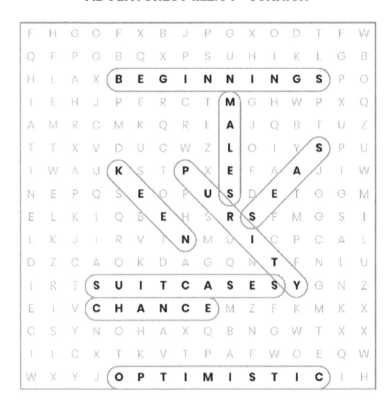

ADVENTURES Puzzle 2 - Solution

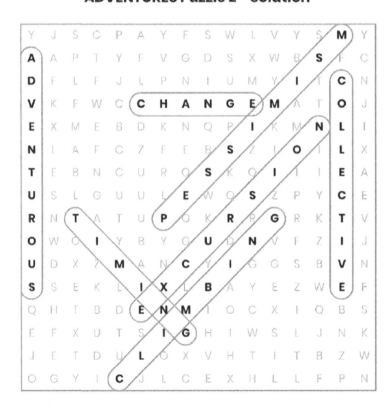

ADVENTURES Puzzle 3 - Solution

ADVENTURES Puzzle 4 - Solution

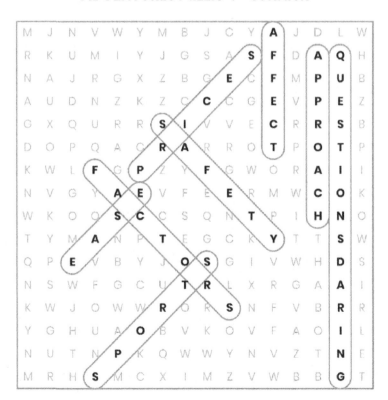

ADVENTURES Puzzle 5 - Solution

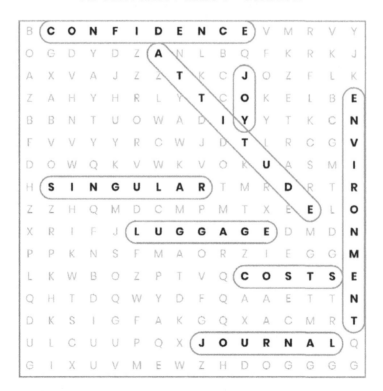

ADVENTURES Puzzle 6 - Solution

ADVENTURES Puzzle 7 - Solution

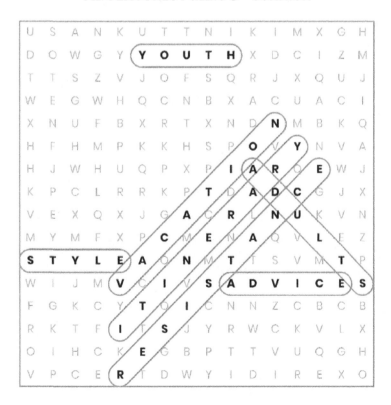

ADVENTURES Puzzle 8 - Solution

ADVENTURES Puzzle 9 - Solution

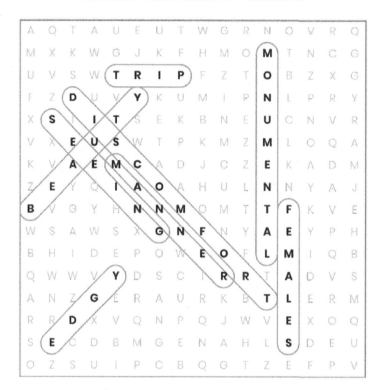

ADVENTURES Puzzle 10 - Solution

ADVENTURES Puzzle 11 - Solution

ADVENTURES Puzzle 12 - Solution

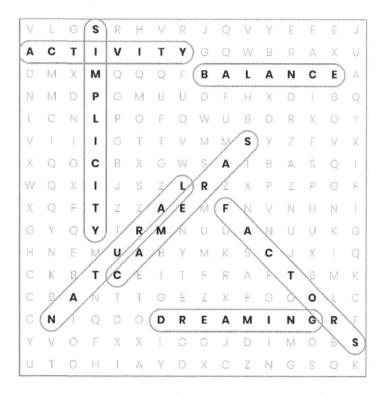

ADVENTURES Puzzle 13 - Solution

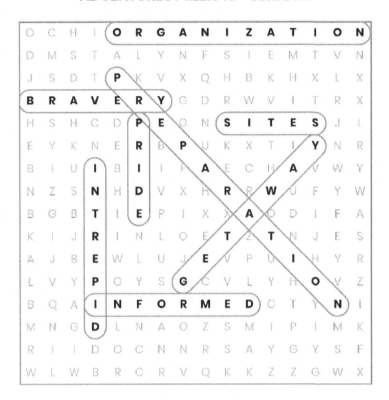

ADVENTURES Puzzle 14 - Solution

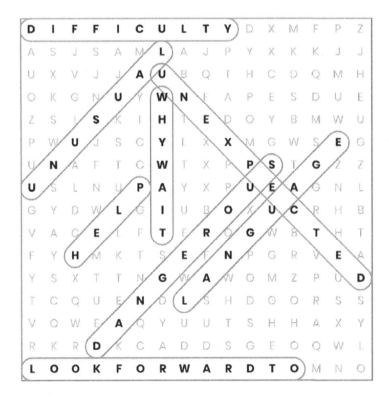

ADVENTURES Puzzle 15 - Solution

```
N  A  R  O  T  Q  X  Z  Z  W  E  U  R  N  Z  N
X  S  J  Q  O  Z  A  K  L  W  O  R  R  Y  H  Y
X  B  H  N  S  O  L  I  T  U  D  E  E  T  Z  T
Z  F  X  X  J  V  V  W  U  D  J  V  Q  R  H  X
B  R  R  X  C  D  L  B  M  K  G  K  E  Y  A  A
B  Y  G  E  L  I  W  C  T  D  G  Z  T  U  V  Y
O  X  H  A  O  F  D  C  C  O  A  E  F  Y  S
A  Z  O  E  N  K  P  Q  B  V  Z  L  S  Q  X  V
R  H  M  A  I  U  E  R  P  P  F  L  W  Y  D  H
X  W  M  D  B  U  X  D  Q  V  C  L  N  A  G  L
V  A  U  I  R  L  O  C  A  L  E  O  R  E  E  W
I  I  N  N  X  F  Q  Y  A  K  N  P  U  M  I  M
Y  T  I  G  A  B  S  U  M  E  Z  Q  N  A  F  Z
I  K  T  J  B  B  H  W  X  O  C  E  A  N  S  J
U  H  Y  X  M  G  O  M  V  U  S  W  E  Y  O  D
A  D  Z  B  Y  D  B  I  F  N  W  G  W  E  Q  H
```

MAZE 1

MAZE 2

MAZE 3

MAZE 4

MAZE 5

Maze 1 Solution

Maze 2 Solution

Maze 3 Solution

Maze 4 Solution

Maze 5 Solution

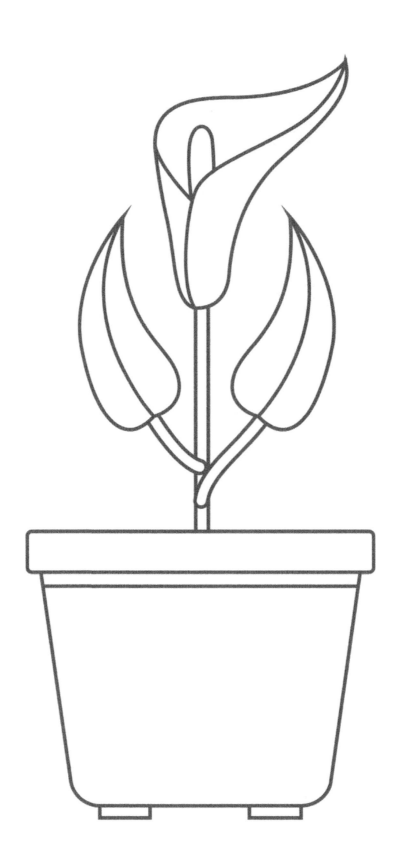

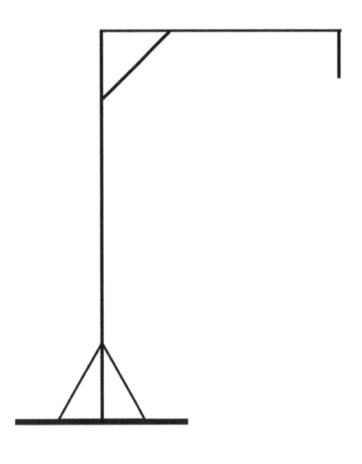

_ _ _ _ _ _ _ _ _ _ _ _ _ _ _ _

_ _ _ _ _ _ _ _ _ _ _ _ _ _ _ _

A B C D E F G H I J K L M

N O P Q R S T U V W X Y Z

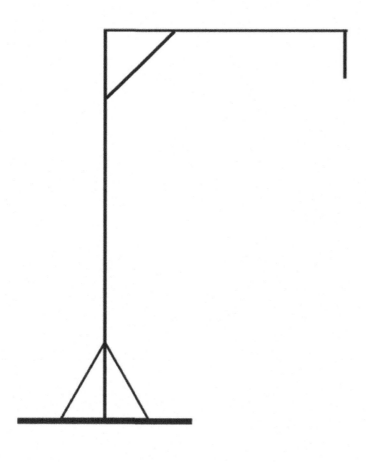

- -

- -

A B C D E F G H I J K L M

N O P Q R S T U V W X Y Z

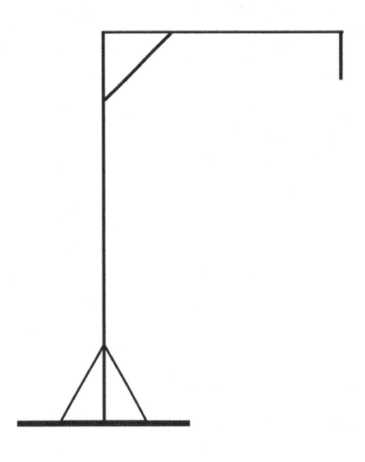

- -

- -

A B C D E F G H I J K L M

N O P Q R S T U V W X Y Z

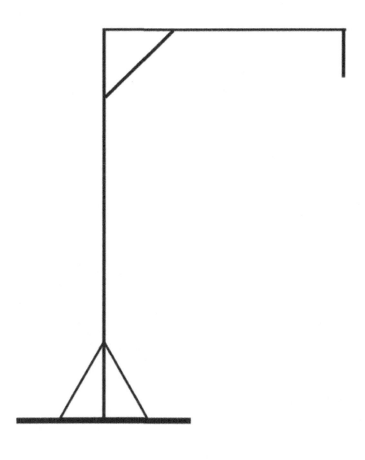

- - - - - - - - - - - - - - - -

- - - - - - - - - - - - - - - -

A B C D E F G H I J K L M

N O P Q R S T U V W X Y Z

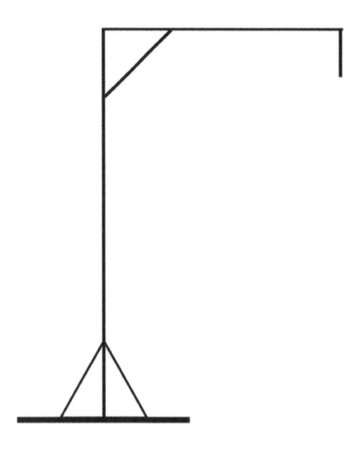

A B C D E F G H I J K L M

N O P Q R S T U V W X Y Z

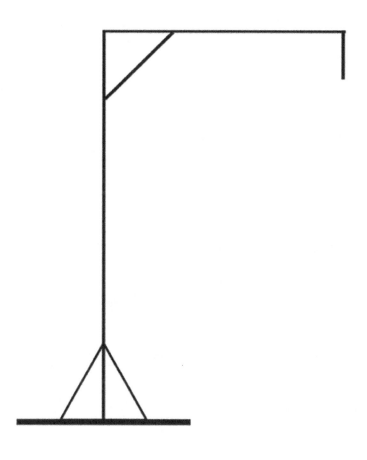

- -

- -

A B C D E F G H I J K L M

N O P Q R S T U V W X Y Z

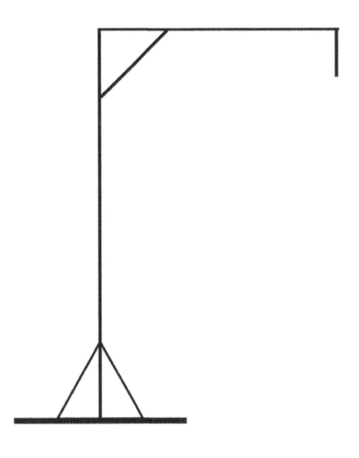

- -

- -

A B C D E F G H I J K L M

N O P Q R S T U V W X Y Z

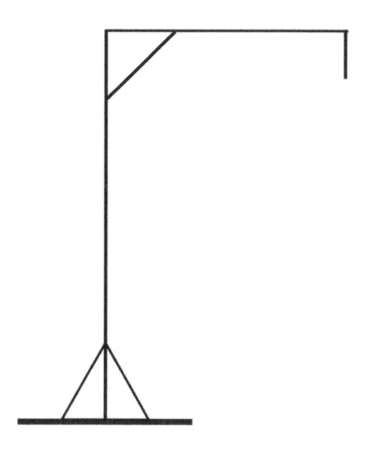

```
- - - - - - - - - - - - - - - - - - - -


- - - - - - - - - - - - - - - - - - - -
```

A B C D E F G H I J K L M

N O P Q R S T U V W X Y Z

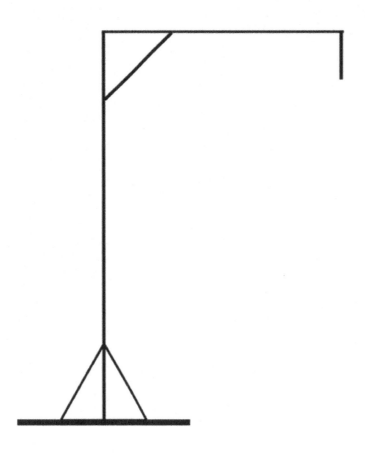

\- \- \- \- \- \- \- \- \- \- \- \- \- \- \- \- \-

\- \- \- \- \- \- \- \- \- \- \- \- \- \- \- \- \-

A B C D E F G H I J K L M

N O P Q R S T U V W X Y Z

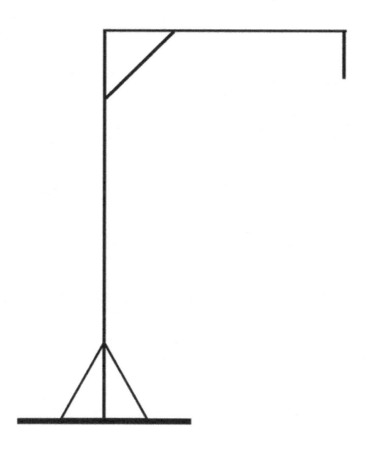

- -

- -

A B C D E F G H I J K L M

N O P Q R S T U V W X Y Z

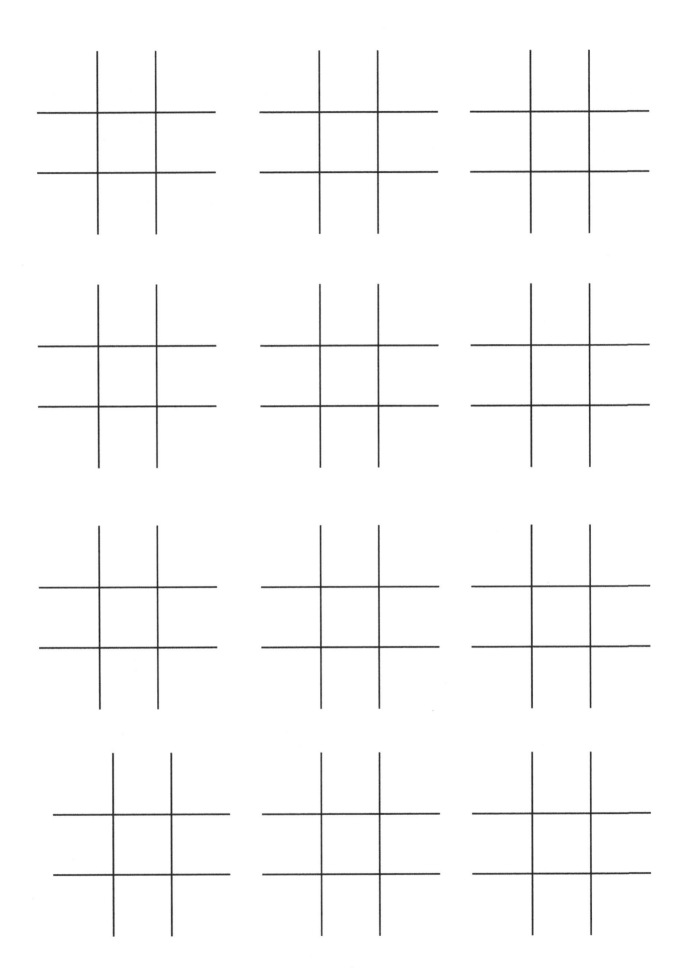

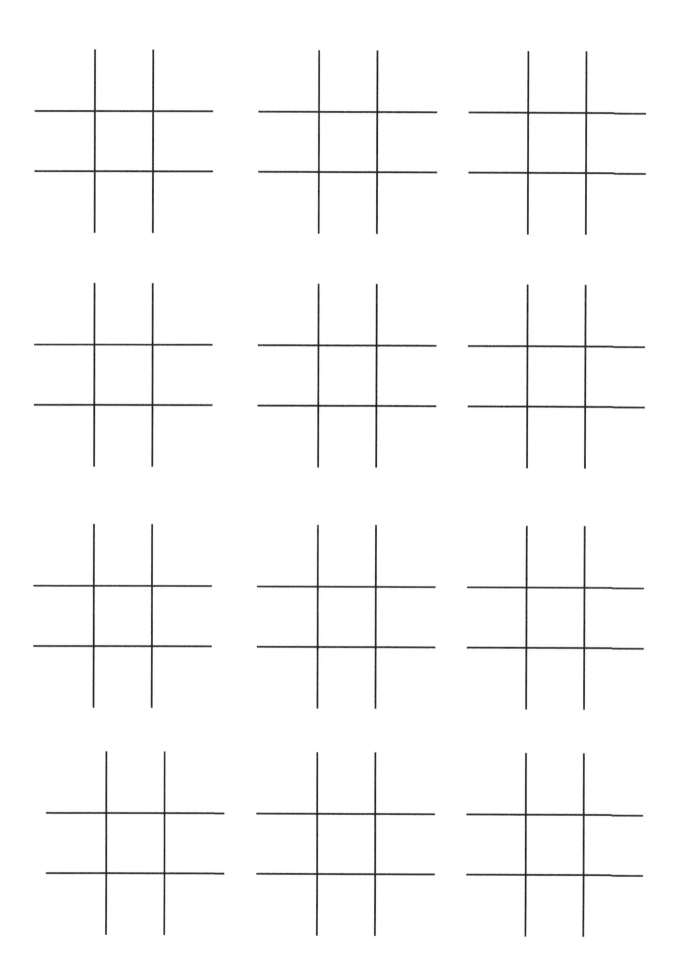

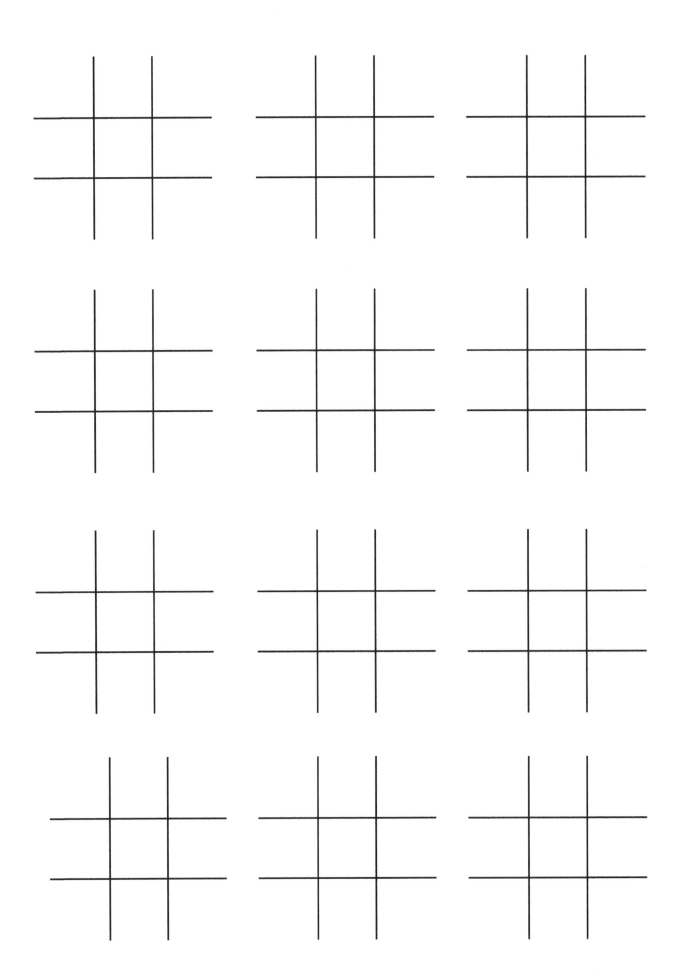

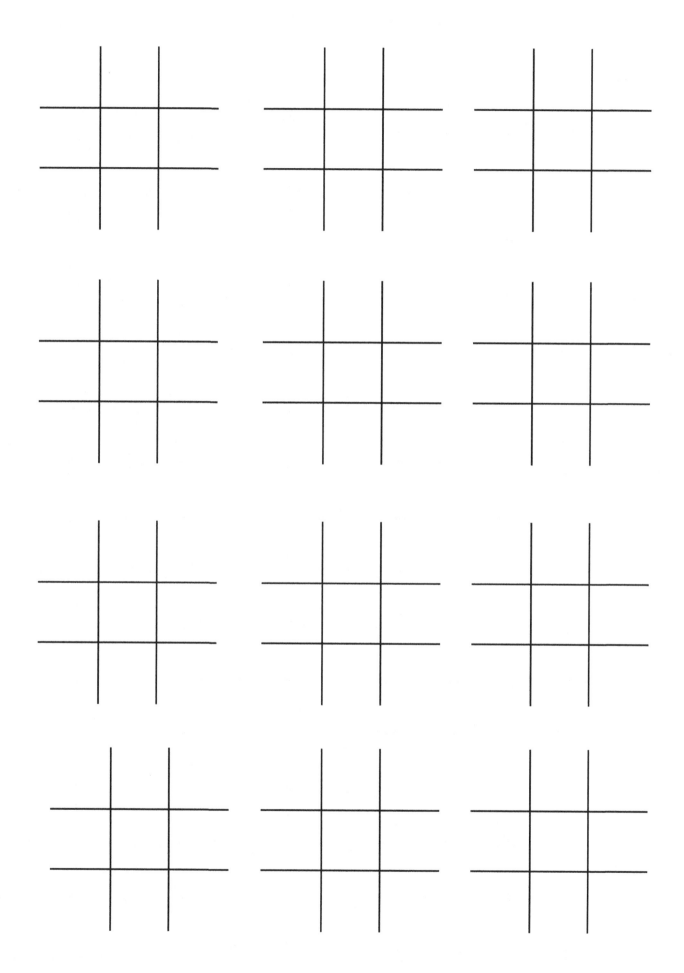

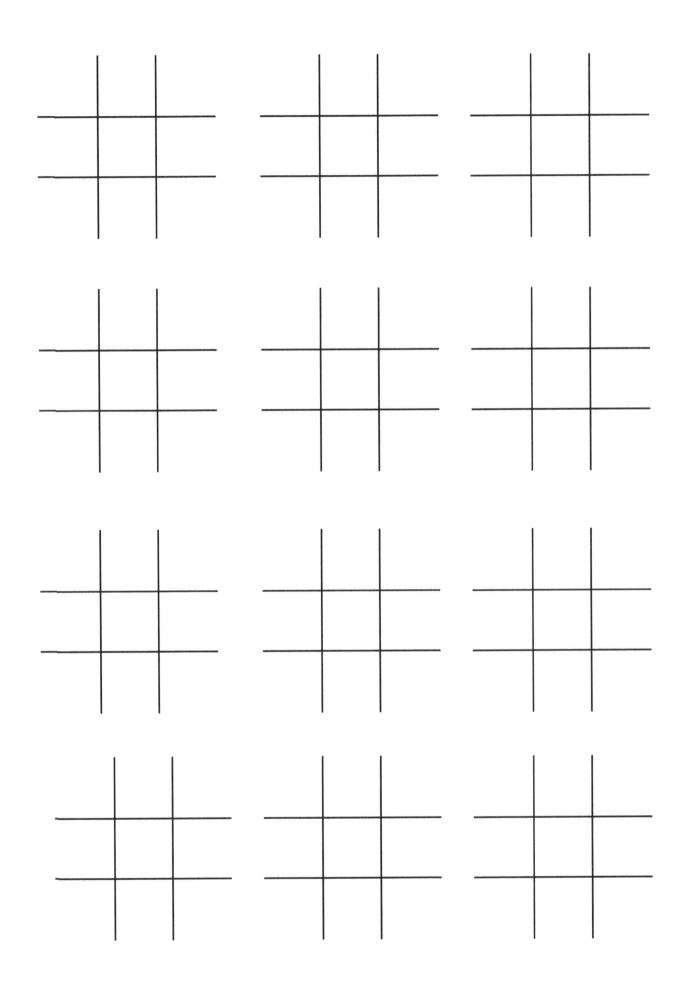

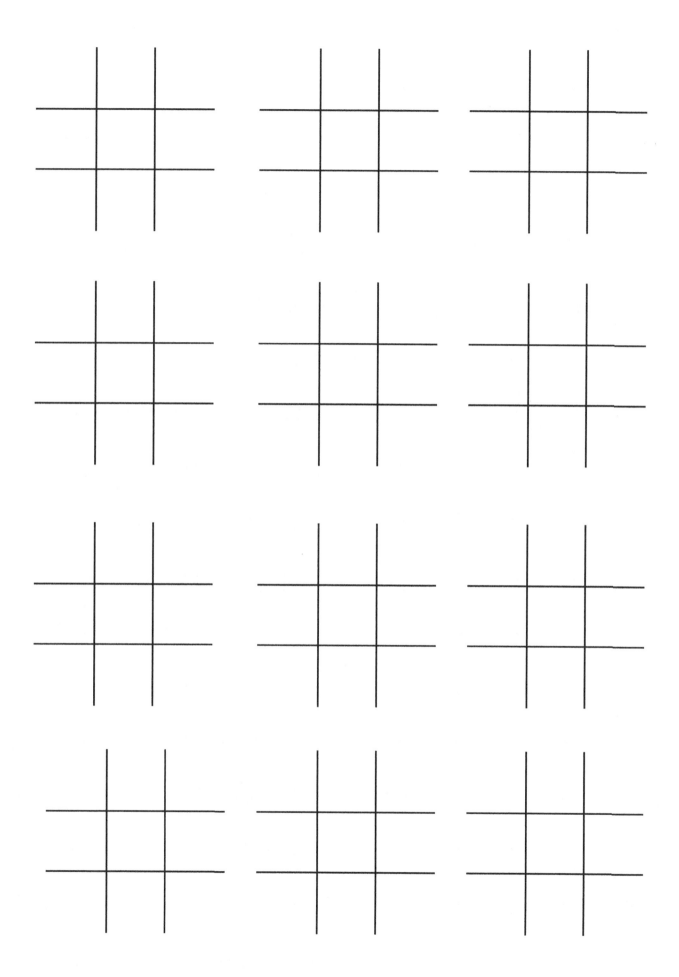

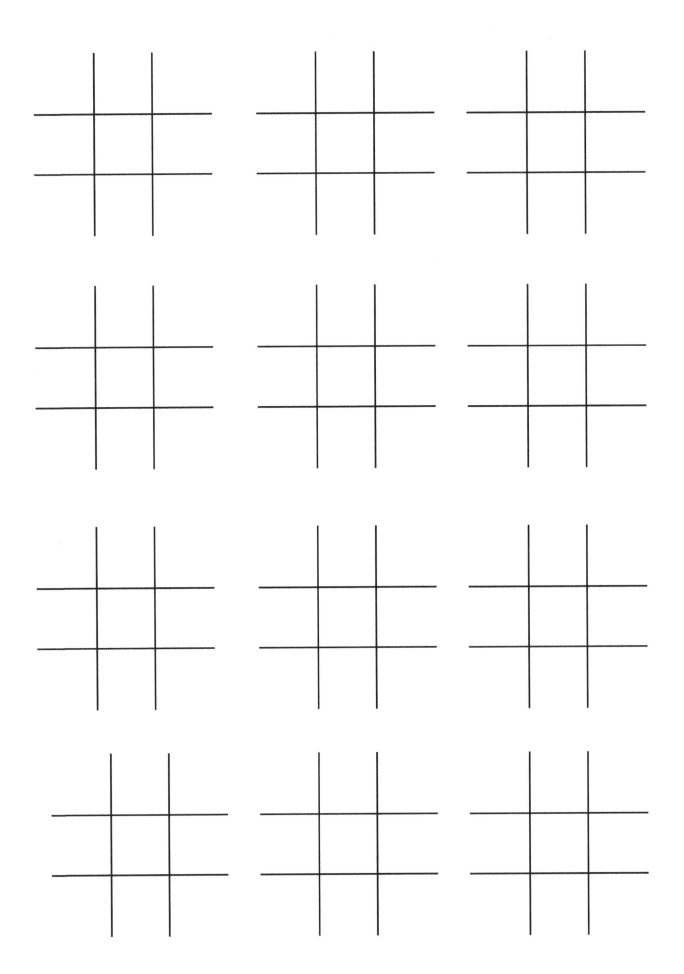

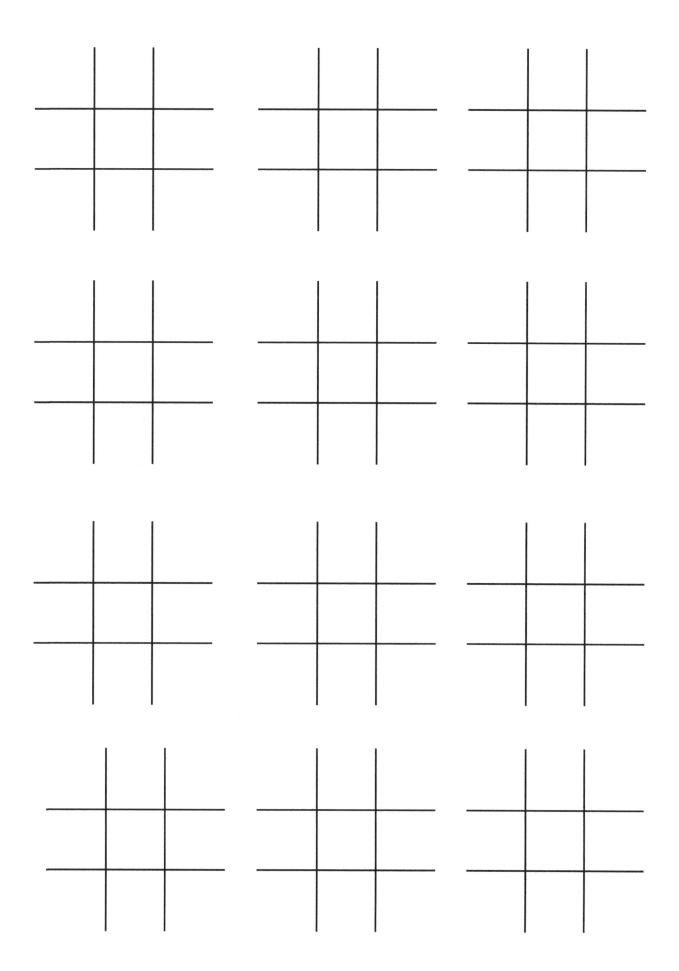

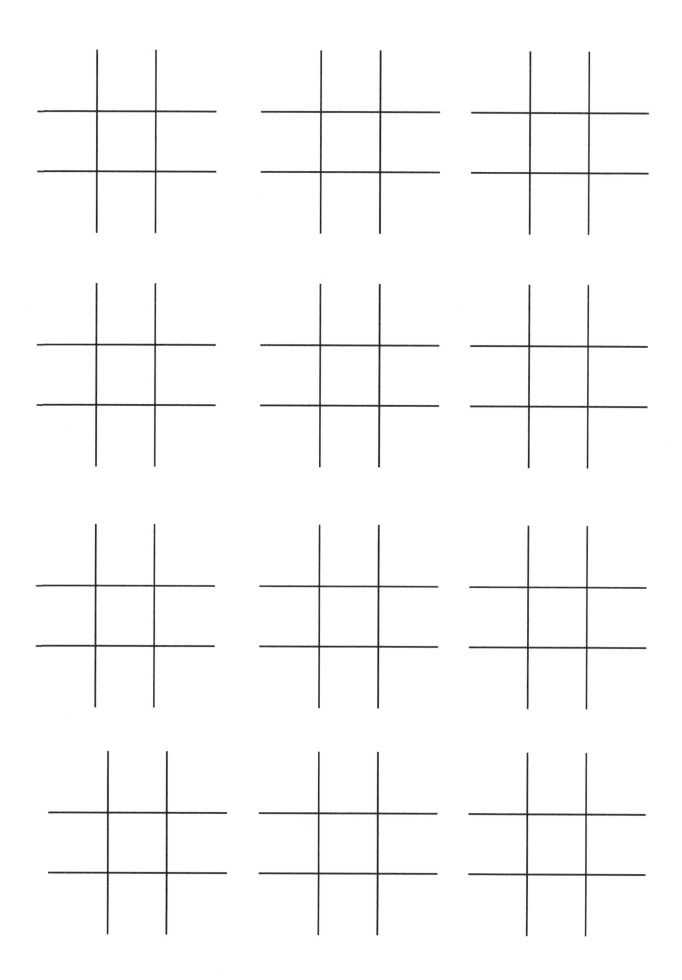

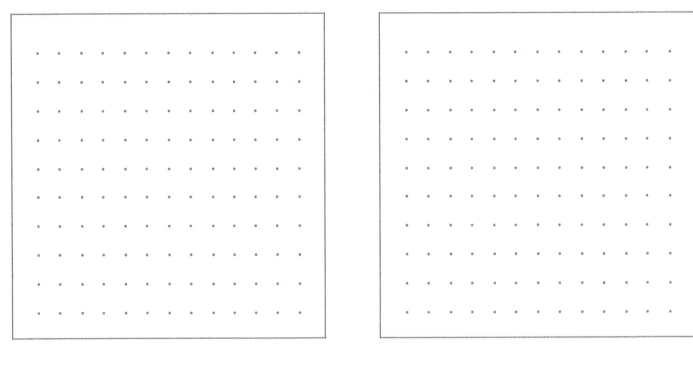

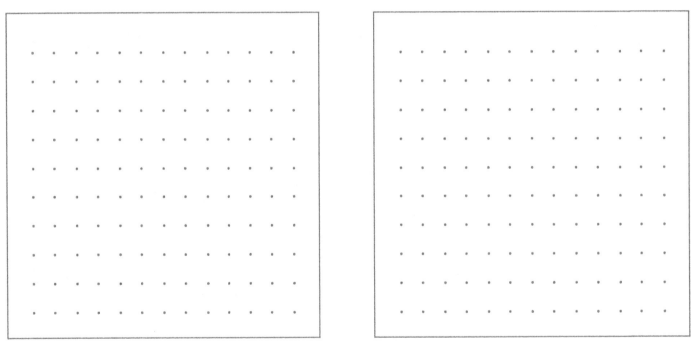

PLAYER:	PLAYER:
SCORE:	SCORE:

PLAYER:	PLAYER:
SCORE:	SCORE:

PLAYER:	PLAYER:
SCORE:	SCORE:

PLAYER:	PLAYER:
SCORE:	SCORE:

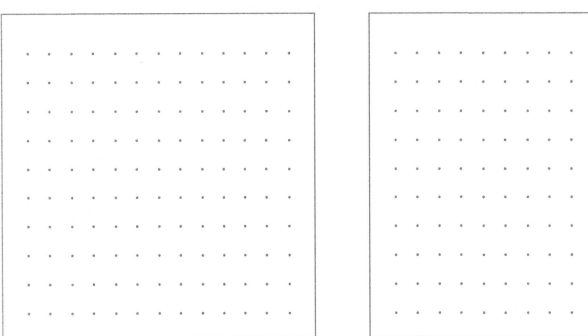

PLAYER:	PLAYER:
SCORE:	SCORE:

PLAYER:	PLAYER:
SCORE:	SCORE:

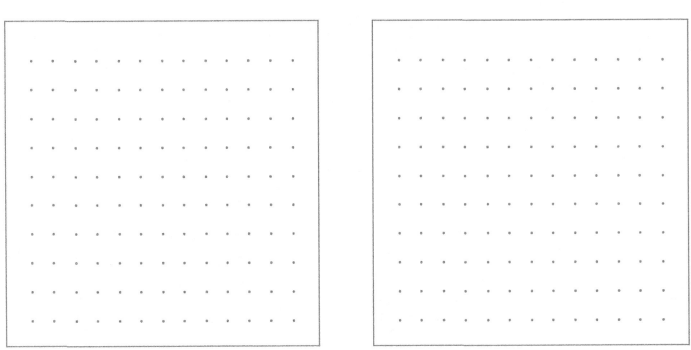

PLAYER:	PLAYER:
SCORE:	SCORE:

PLAYER:	PLAYER:
SCORE:	SCORE:

| PLAYER: | PLAYER: |
| SCORE: | SCORE: |

PLAYER:	PLAYER:
SCORE:	SCORE:

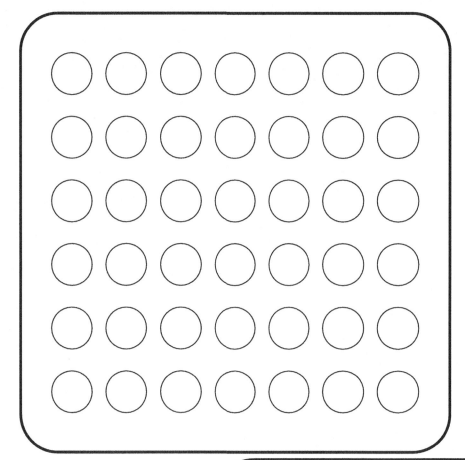

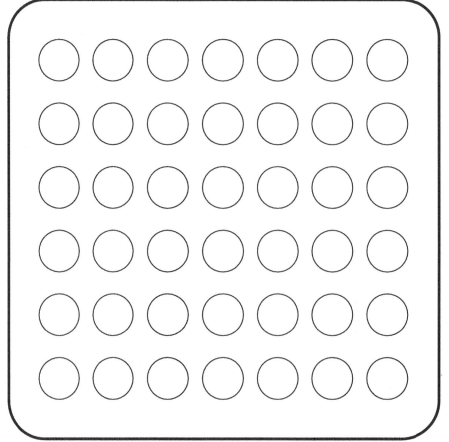

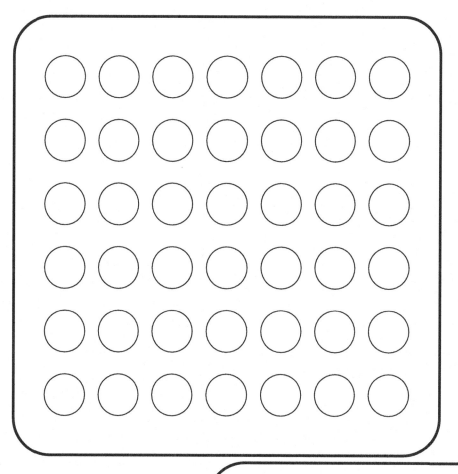

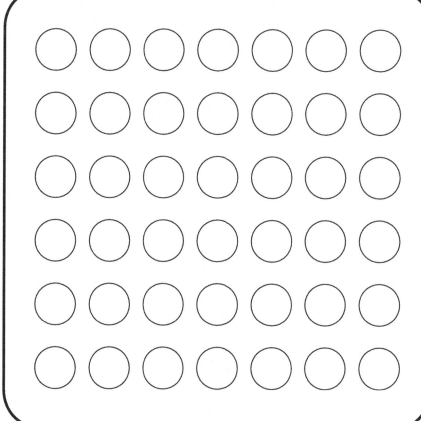

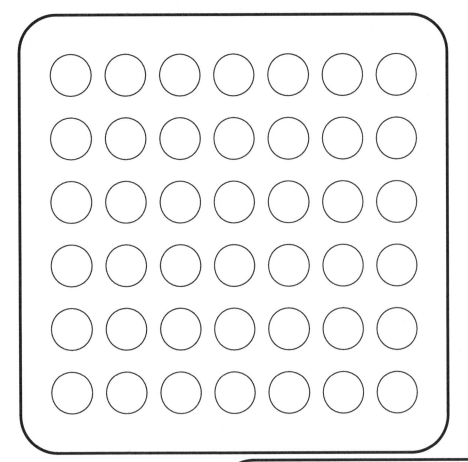

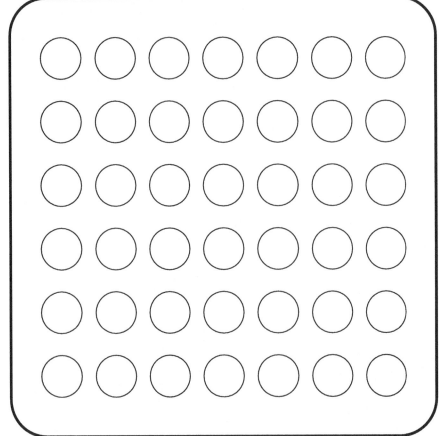

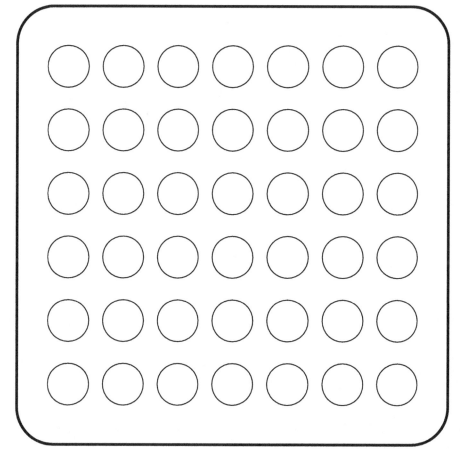

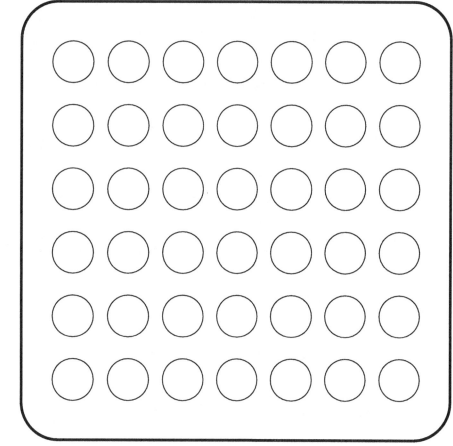

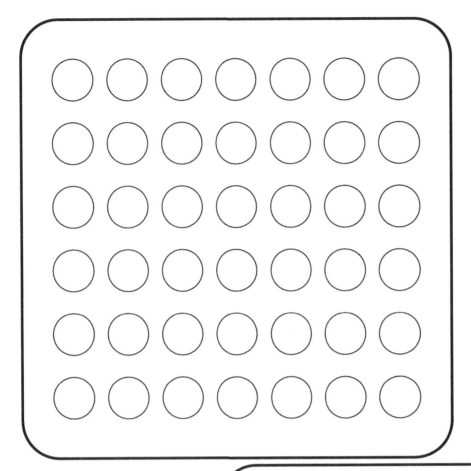

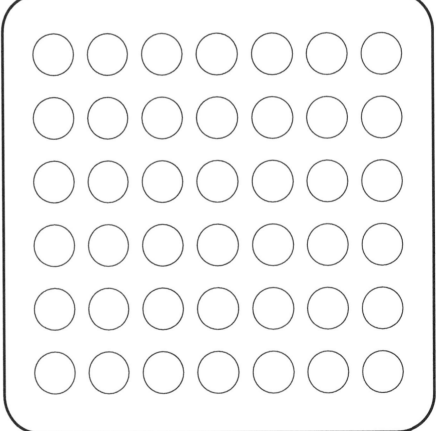

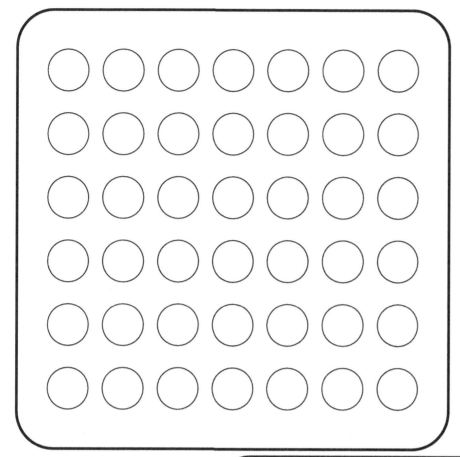

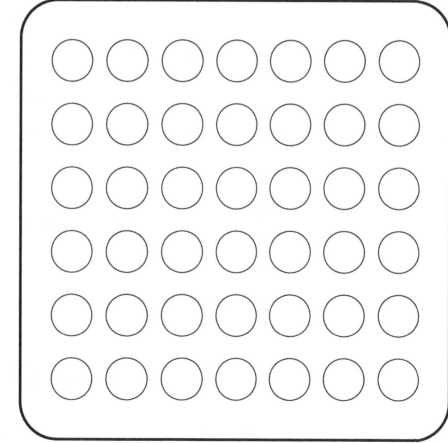

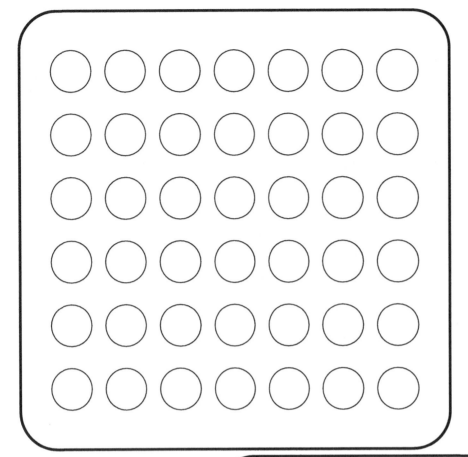

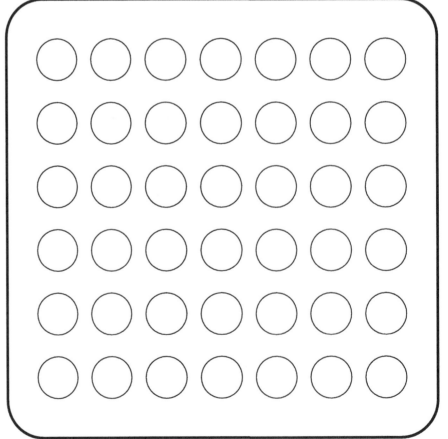

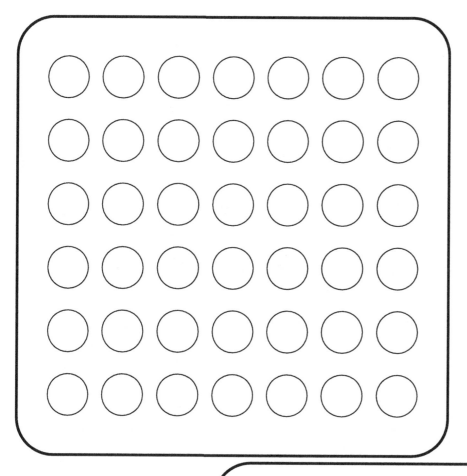

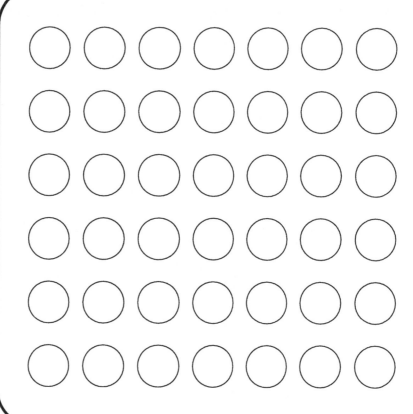

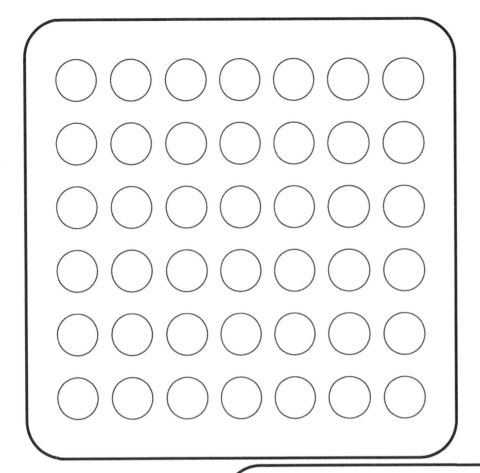

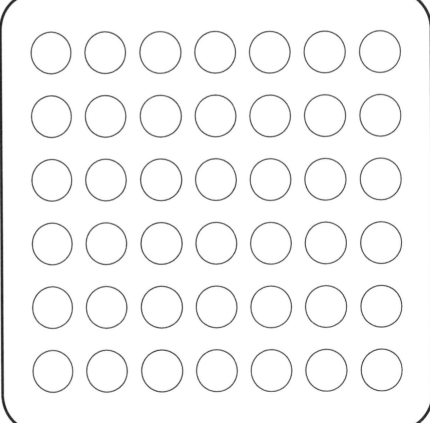

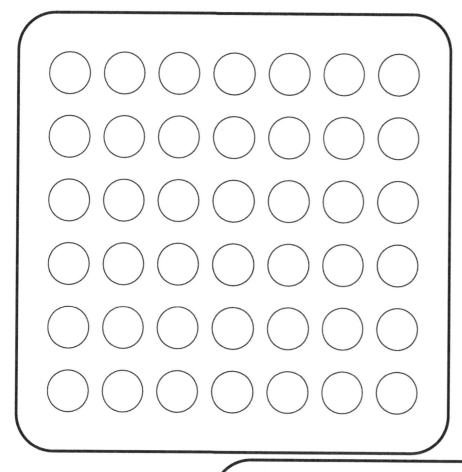

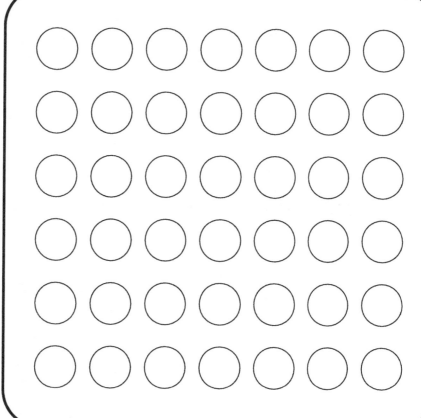

Made in the USA
Middletown, DE
14 July 2022

69320019R00084